PUBLIER dans une
REVUE SAVANTE

Membre de **L'ASSOCIATION NATIONALE DES ÉDITEURS DE LIVRES**

Presses de l'Université du Québec
Le Delta I, 2875, boulevard Laurier, bureau 450, Québec (Québec) G1V 2M2
Téléphone : 418 657-4399 – Télécopieur : 418 657-2096
Courriel : puq@puq.ca – Internet : www.puq.ca

Diffusion / Distribution :

Canada et autres pays : Prologue inc., 1650, boulevard Lionel-Bertrand, Boisbriand (Québec)
J7H 1N7 – Tél. : 450 434-0306 / 1 800 363-2864

France : Sodis, 128, av. du Maréchal de Lattre de Tassigny, 77403 Lagny, France – Tél. : 01 60 07 82 99

Afrique : Action pédagogique pour l'éducation et la formation, Angle des rues Jilali Taj Eddine
et El Ghadfa, Maârif 20100, Casablanca, Maroc – Tél. : 212 (0) 22-23-12-22

Belgique : Patrimoine SPRL, 168, rue du Noyer, 1030 Bruxelles, Belgique – Tél. : 02 7366847

Suisse : Servidis SA, Chemin des Chalets, 1279 Chavannes-de-Bogis, Suisse – Tél. : 022 960.95.32

PIERRE COSSETTE

PUBLIER dans une REVUE SAVANTE

Les 10 RÈGLES
du chercheur
convaincant

Presses de l'Université du Québec

Catalogage avant publication de Bibliothèque et Archives nationales du Québec
et Bibliothèque et Archives Canada

Cossette, Pierre, 1949-

    Publier dans une revue savante : les 10 règles du chercheur convaincant

    Comprend des réf. bibliogr. et un index.

    ISBN 978-2-7605-2453-8

    1. Écriture savante. 2. Édition savante. 3. Information scientifique. I. Titre.

LB2369.C67 2009   808'.02   C2009-941572-0

Les Presses de l'Université du Québec reconnaissent l'aide financière du gouvernement du Canada par l'entremise du Programme d'aide au développement de l'industrie de l'édition (PADIE) pour leurs activités d'édition.

La publication de cet ouvrage a été rendue possible grâce à l'aide financière de la Société de développement des entreprises culturelles (SODEC).

Intérieur
Mise en pages : INFO 1000 MOTS

Couverture
Conception : RICHARD HODGSON
Illustration : SYLVIE DEMERS

À Camille

AVANT-PROPOS

Comme de nombreux chercheurs, j'aurais aimé qu'on insiste davantage lors de mes études doctorales sur la façon d'élaborer un projet de recherche et, surtout, de rédiger un texte en vue d'une publication dans une revue dite scientifique ou savante. On semblait présumer, à tort, qu'en lisant plusieurs articles provenant d'excellentes revues, l'étudiant[1] ferait automatiquement l'acquisition des compétences nécessaires à la production et à la diffusion des connaissances. Les documents susceptibles d'aider l'apprenti chercheur se limitaient alors le plus souvent à des ouvrages de méthodologie qui, bien qu'ayant une visée prescriptive, n'aidaient pas beaucoup à préparer un texte destiné à une revue s'adressant à d'autres chercheurs et éventuellement publié sous la forme d'un article.

Aujourd'hui encore, il existe peu d'écrits sur les règles à suivre pour réussir à publier dans une revue savante. Le livre de Anne Huff (1999) – *Writing for scholarly publication* – constitue une exception

---

1. Dans cet ouvrage, j'ai privilégié l'usage de formules neutres ou je me suis limité à l'emploi du masculin uniquement dans le but de ne pas alourdir le texte.

notable. On peut également trouver sur Internet certains guides qui ne sont pas sans intérêt, loin de là (voir, en particulier, Bem, 2003). Il y a aussi quelques courts textes portant plus particulièrement sur les critères d'évaluation de manuscrits soumis pour fins de publication dans une revue savante, dont les éditoriaux de Campion (1993) en psychologie appliquée, de Stewart (2002) en marketing et de Webb (2003) en recherche qualitative. Mais la plupart de ces documents, en plus d'être rédigés en anglais, ne traitent habituellement pas de manière approfondie, complète et documentée du processus dans son ensemble.

Cet ouvrage propose une vision à la fois globale et détaillée des règles à suivre pour celui qui veut être un chercheur convaincant, c'est-à-dire un chercheur qui va persuader le rédacteur en chef d'une revue ainsi que les évaluateurs auxquels il fait appel que son manuscrit mérite d'être publié dans cette revue. Il a donc pour objectif d'aider les chercheurs, en formation ou non, à préparer un projet de recherche et à rédiger un texte destiné à une revue savante. Du même souffle, il vise à guider les évaluateurs dans la préparation de leurs commentaires et dans la recommandation qu'ils doivent faire au rédacteur en chef étant donné que, en principe du moins, chercheurs et évaluateurs se basent essentiellement sur les mêmes critères pour faire leur travail.

Bien sûr, ce livre s'appuie sur de nombreux et récents articles ou autres documents pertinents, ainsi que sur l'opinion de plusieurs experts, dont celle exprimée en pages éditoriales par des rédacteurs en chef de revues prestigieuses comme *Academy of Management Journal*. Mais il doit d'abord être considéré comme un essai reflétant ma conception personnelle des règles à suivre pour augmenter la probabilité qu'un travail de recherche soit publié et même cité, c'est-à-dire qu'il alimente et oriente la conversation savante. Je reconnais cependant que certaines études, en particulier celle de Gottfredson (1978), ont montré qu'il y aurait une corrélation faible entre la qualité attribuée à un texte par ceux qui l'évaluent et la quantité de citations dont il fera l'objet lorsqu'il sera publié.

Les idées présentées dans cet essai ne sont certainement pas étrangères aux leçons tirées de mon expérience de chercheur et d'évaluateur pour de nombreuses revues francophones et anglophones au cours des vingt dernières années. Cela ne les rend toutefois pas plus objectives... Cela dit, j'ai la conviction qu'il existe dans notre communauté de chercheurs un large consensus, plutôt implicite, à propos de ces règles à suivre, quoiqu'on reconnaisse évidemment qu'elles peuvent être critiquées.

Je souhaite vivement que les 10 règles proposées ici soient utiles aux chercheurs dans l'élaboration d'un projet de recherche et l'écriture du texte rendant compte de sa réalisation, ainsi qu'aux évaluateurs mandatés pour porter un jugement sur un manuscrit soumis à une revue savante; en ce sens, je serais heureux que certains attribuent à cet ouvrage une valeur pédagogique. Bien que mes propos s'inscrivent principalement dans le domaine de la gestion, ils sont susceptibles d'intéresser les chercheurs et évaluateurs actifs dans d'autres champs de connaissances (sociologie, psychologie, éducation, anthropologie, etc.), y compris dans les sciences «dures» (chimie, physique, etc.).

Au cours des dernières années, j'ai côtoyé de nombreux étudiants aux études avancées et j'ai grandement appris à leur contact, comme ils le savent très bien d'ailleurs; je les remercie sincèrement d'avoir ainsi contribué par leurs questions et commentaires à la réalisation de cet ouvrage. Je salue également la collaboration toujours remarquable de Joanne Renaud, en particulier pour sa grande maîtrise des outils informatiques et pour son exceptionnelle disponibilité. Enfin, j'exprime toute ma gratitude à l'équipe des Presses de l'Université du Québec pour avoir travaillé de façon aussi compétente et généreuse à la parution de ce livre.

Je dédie cet ouvrage à Camille Carrier, ma bien-aimée depuis plus de vingt ans. En plus de m'apporter son indéfectible soutien au fil des ans, c'est elle qui m'a suggéré d'écrire cet ouvrage et d'en faire mon principal projet d'année sabbatique. Elle en a aussi commenté le contenu, ce qui m'a permis de l'améliorer considérablement. Je n'oublie pas non plus la première conférence que nous avions donnée conjointement – le mot est bien choisi – en 1999 à l'IAE de Lille sur l'invitation d'Alain Desreumaux et de Thierry Verstraete, conférence qui portait sur la construction et la publication d'un texte savant et qui est un peu à l'origine de ce livre. Je remercie Camille très chaleureusement d'avoir toujours été aussi présente et aussi stimulante. Je suis vraiment comblé.

J'ai beaucoup appris à l'écriture de cet essai. Je ne suis pas certain que j'aurais préparé mes projets de recherche et rendu compte de leur réalisation de la même manière si je l'avais rédigé plus tôt. Mais je réalise aussi que je n'aurais probablement pas été capable d'écrire cet ouvrage avant aujourd'hui. Au lecteur maintenant de décider si j'aurais dû attendre encore un peu…

TABLE
DES MATIÈRES

INTRODUCTION
Recherche, conversation
et contribution théorique

Faire de la recherche, c'est essentiellement s'engager dans une « conversation », une métaphore qui a inspiré Anne Huff (1999) pour décrire le processus de constitution des connaissances dans le champ particulier de la gestion ou de l'organisation. La première étape à franchir pour entrer dans cette conversation peut se résumer à mettre sur pied un projet de recherche en s'appuyant sur les carences, limites ou même ouvertures suggérées par les résultats des travaux déjà publiés, puis à réaliser ce projet et, enfin, à soumettre le texte qui en rend compte à une revue savante. Le rédacteur en chef de cette revue (ou le rédacteur associé à qui il délègue cette tâche)[1] fera alors évaluer le manuscrit par des experts qui en recommanderont l'acceptation (avec

---

1. Pour éviter de surcharger inutilement le texte, l'expression « rédacteur en chef » désignera ici la personne responsable de l'évaluation d'un texte soumis à une revue savante pour fins de publication, même si dans de nombreux cas cette personne est un rédacteur « associé » nommé par le rédacteur en chef pour prendre en charge le processus d'évaluation du texte en question. Cette façon de procéder existe dans la majorité des revues importantes.

des modifications mineures ou majeures à lui apporter) ou, beaucoup plus fréquemment, le refus, surtout dans certains domaines comme la gestion et lorsque les revues sont renommées. Notons que, dans la très grande majorité des cas, cette évaluation se fait en double aveugle (*double blind review*), c'est-à-dire sans que l'auteur et l'évaluateur connaissent l'identité de l'autre. Le rédacteur en chef n'est pas tenu de suivre les recommandations des évaluateurs, ce qui devient évident lorsqu'elles s'opposent (!), mais elles le guident dans la décision qu'il doit prendre. Ce système d'évaluation par les pairs (*peer review*) est extrêmement important parce qu'il exerce un impact déterminant sur le contenu et sur l'évolution des connaissances dans un champ particulier (Bedeian, 2004).

Dans cette perspective, la connaissance doit être vue comme un produit socialement construit, comme l'avait bien exprimé Astley (1985) il y a un certain temps déjà. Elle ne refléterait donc pas la découverte d'une vérité objective qui attendait d'être mise au jour ; elle serait plutôt la conséquence du succès obtenu par le chercheur dans ses efforts pour persuader un groupe de deux, trois ou parfois même quatre experts anonymes, en plus du rédacteur en chef, de l'intérêt de sa recherche. Faire de la recherche devient alors fondamentalement une entreprise de rhétorique – au sens noble du terme – où le chercheur s'efforce de convaincre ceux qui, au départ, détiennent entre leurs mains le sort de sa recherche. Il le fera en misant évidemment sur le contenu ou la substance de son travail, mais également en employant des techniques ou des procédés associés à la forme plutôt qu'au fond, comme on le verra dans cet ouvrage.

S'il y parvient, c'est-à-dire si le texte est publié à la suite de son évaluation par les pairs et, très important, après que le chercheur lui eut apporté les modifications demandées, une étape cruciale a assurément été franchie, mais la conversation n'en est tout de même qu'à ses premiers balbutiements. Ce sera maintenant au tour des autres chercheurs de décider si la contribution apportée peut les aider à faire avancer leurs propres idées, à problématiser l'objectif d'une nouvelle recherche, à justifier les questions précises ou les hypothèses auxquelles cet objectif donne lieu, ou encore à discuter les résultats de leur recherche. Ainsi, lorsqu'ils citeront le travail en question, de façon appropriée devrait-on ajouter, ces chercheurs se trouveront *de facto* à reconnaître la qualité et l'utilité du travail accompli. C'est un peu comme s'ils acceptaient que le chercheur se joigne à la conversation sur cet objet de recherche et qu'il contribue à l'orienter. L'important à retenir ici en ce qui concerne particulièrement le processus de constitution des connaissances, c'est qu'un texte non publié est un texte mort et qu'un texte non cité est un texte qui agonise[2]. Latour (1987) soutient même que d'être ignoré « [...] est pire que d'être critiqué voire d'être cité à tort et à travers par des lecteurs peu attentifs » (p. 62), ajoutant ceci : « [...] l'un des principaux problèmes à résoudre est d'intéresser quelqu'un suffisamment pour être lu ; lorsque l'on mesure la difficulté d'intéresser quelqu'un à un argument, celle de convaincre paraît relativement mineure » (p. 63).

Mes propos ne visent certainement pas à décourager celui qui veut pratiquer le métier de chercheur. Mais personne n'a jamais dit que prendre part à une conversation savante était de tout repos. D'autant plus que, comme nous le rappelle Latour (1987), ce sont les autres qui, dans une large mesure, décident de la valeur de la contribution qu'on apporte en s'en servant ou non. Cela nous rappelle que c'est uniquement le temps qui permet vraiment d'apprécier l'ampleur de la contribution d'une recherche (Smith, 2008). Les revers sont monnaie courante, ce qui, dans de nombreux cas, est terriblement frustrant. Par ailleurs, faire de la recherche pose des défis que plusieurs trouvent très stimulants et même très agréables à relever. Et en suivant certaines règles, souvent implicites, le chercheur augmente ses chances d'être considéré comme un interlocuteur intéressant. Ce livre est consacré aux règles importantes à respecter pour y arriver.

Bref, le chercheur s'appuie sur les travaux existants pour entrer dans une conversation et, si tout va bien, il contribue à la façonner. C'est comme si les connaissances déjà produites constituaient le contexte théorique dont le chercheur ne peut pas se libérer mais qui lui permet en même temps de donner vie à une nouvelle recherche qui, à son tour, enrichira ce contexte, et ainsi de suite. L'idée de la conversation savante suggère donc que les connaissances sont à la fois contraignantes et habilitantes, structurantes et structurées, un langage qui réjouira tous ceux qui souscrivent à la théorie de la structuration proposée par Giddens (1984).

Avant de présenter très succinctement le contenu de cet ouvrage, j'expliquerai brièvement sur quelle conception de la recherche il repose et j'apporterai quelques précisions sur ce qu'est une contribution d'ordre théorique à laquelle toute recherche savante est nécessairement associée.

---

2. Pour plus de précisions sur ces idées de « conversation » et de « rhétorique », j'invite le lecteur à prendre connaissance de la conclusion de mon ouvrage (p. 177-191) publié en 2004.

Qu'est-ce qu'une recherche ?

Les caractéristiques d'une recherche ne sont peut-être pas aussi évidentes qu'on peut le penser au premier abord, et ne feraient probablement pas l'unanimité auprès de tous ceux qui estiment être actifs en recherche. Notons au départ que les 10 règles dont il sera question ici s'appliquent à la recherche dite *scientifique* ou *savante*[3], c'est-à-dire au travail de production de connaissances visant à apporter une contribution d'ordre théorique, un concept ambigu sur lequel je reviendrai plus loin. La plupart de ces règles sont cependant susceptibles d'être adaptées sans trop de difficulté à la recherche de nature plus appliquée, réalisée habituellement en contexte de consultation et destinée surtout à venir en aide à une entreprise ou un organisme qui la commande.

Les 10 règles décrites dans ce livre se rapportent d'abord et avant tout à la recherche dite *empirique*, un autre terme équivoque. De façon générale, une recherche empirique désigne aujourd'hui une recherche inductive ou déductive impliquant la collecte[4] et l'analyse des données quantitatives ou qualitatives obtenues à la suite d'observations plus ou moins structurées, d'entrevues plus ou moins dirigées, d'une enquête aux questions plus ou moins fermées ou de l'emploi de toute autre méthode de terrain ou de laboratoire.

Notons dès maintenant que certaines études descriptives et approfondies de cas particuliers ne sont pas inductives, dans le sens où elles ne sont pas réalisées en vue de la formulation – de la découverte, diront certains – d'hypothèses qui pourraient éventuellement être mises à l'épreuve dans des études de type hypothético-déductif. En effet, si le chercheur ne souscrit pas à l'idée qu'il existe des lois de la nature gouvernant la réalité organisationnelle, comme le font par exemple plusieurs chercheurs adhérant à une perspective subjectiviste ou cognitiviste (Cossette, 2004), le souci de généralisation fondée sur la proposition et le test de telles hypothèses n'existe plus. Les règles à

3.　　Dans le présent ouvrage, j'utiliserai ce second terme, malgré la connotation pompeuse que certains lui attribueront peut-être. Le mot « scientifique » paraît trop clairement associé à la découverte des lois de la nature, un objectif légitime mais qui semble inapproprié à l'étude de la réalité organisationnelle, comme je l'ai longuement exliqué ailleurs (voir Cossette, 2004). Le terme « savant » n'impose pas une telle contrainte.

4.　　Ou l'utilisation de données secondaires, c'est-à-dire déjà recueillies à l'occasion d'une autre recherche.

suivre dont il est question dans cet ouvrage s'appliquent également à ces études qui ne s'inscrivent pas à l'intérieur du modèle classique de production de connaissances.

Les 10 règles conviennent aussi très bien aux recherches faisant appel à la métaanalyse, c'est-à-dire à l'analyse détaillée de données ou d'informations provenant d'une recension rigoureuse et systématique d'écrits sur un objet particulier. Il faut noter que dans l'énoncé de mission de la revue *Academy of Management Journal*, la métaanalyse est aujourd'hui présentée comme une *méthode* empirique et les chercheurs concernés sont invités à soumettre leurs travaux fondés sur son utilisation, comme on peut le constater dans l'extrait suivant que je me permets de reproduire en langue anglaise, à titre exceptionnel : « *All empirical methods – including, but not limited to, qualitative, quantitative, field, laboratory, meta-analytic, and combination methods – are welcome.* »

La plupart de ces règles à suivre peuvent finalement être utiles lors de la préparation d'un texte dit *théorique*. Mais examinons d'abord brièvement ce que désigne habituellement un texte de cette catégorie, en particulier lorsqu'il s'agit d'un article publié dans une revue savante.

Un article théorique n'est pas un article de recherche, bien que les deux doivent inévitablement apporter une contribution d'ordre théorique. L'objectif d'une recherche, qu'importe la façon dont il est formulé, est toujours de répondre à une question fondamentale dont, et c'est très important, le chercheur ne connaît pas la réponse et à laquelle aucun autre chercheur n'a encore répondu. L'article théorique, lui, ne rend pas compte d'une recherche à proprement parler, même si, comme le note Kilduff (2007), des données peuvent parfois être utilisées pour illustrer un point théorique particulier ; dans ce contexte, l'expression « recherche théorique » ne semble pas très heureuse, ni même appropriée[5]. Pour être très clair, les textes théoriques[6] représentent plutôt des *essais*, c'est-à-dire des travaux prenant essentiellement la forme d'une argumentation ou d'une démonstration en faveur d'une idée fondamentale que l'auteur a déjà, tout en s'appuyant sur d'autres essais ou sur les résultats de recherches empiriques. Ces textes théoriques sont

---

5.   D'ailleurs, le mot « recherche » ne figure pas dans l'énoncé de mission de la prestigieuse revue *Academy of Management Review*, qui ne publie que des articles théoriques. De plus, il n'est employé qu'en de très rares occasions dans la section sur les informations destinées aux auteurs, et uniquement pour indiquer que les articles de la revue peuvent ou doivent fournir des directions ou des propositions pour la recherche à venir.

6.   Y compris de nombreux livres, dont celui-ci.

donc composés d'un ensemble de propositions, réflexions, analyses, affirmations, critiques, opinions, prises de position, façons de voir et autres considérations d'ordre théorique que l'auteur mobilise afin de convaincre le lecteur de la richesse de sa contribution. Et, effectivement, les textes théoriques apportent parfois une contribution déterminante au renouvellement des connaissances dans un champ particulier.

Un article théorique n'a pas de cadre méthodologique, ce qui le distingue d'entrée de jeu du compte rendu d'un travail de recherche au sens strict du terme, y compris de celui réalisé dans une métaanalyse. Bien que la structure d'un article théorique soit plus variable que celle d'un article de recherche, on y trouve normalement la formulation d'un but plus ou moins général – souvent celui de proposer un nouveau modèle, une nouvelle théorie, une nouvelle approche ou un nouveau cadre de référence – justifié par l'examen détaillé de la littérature existante et de ses limites. Je signale que les synthèses ainsi produites à la suite de cette minutieuse revue de la littérature pertinente sont fréquemment très originales, non seulement parce que personne ne les a encore réalisées, mais aussi parce qu'elles sont structurées d'une manière innovatrice ou provocante sur le plan intellectuel... Finalement, les idées nouvelles avancées dans un texte théorique, ainsi que leurs implications sur la recherche à venir, sont expliquées de façon approfondie. Kilduff (2006) insiste sur cette dimension essentielle d'un article théorique : les grandes idées proposées doivent absolument et très explicitement conduire à de nouvelles questions empiriques. Le lecteur intéressé trouvera d'excellents exemples d'articles théoriques dans de nombreuses revues, dont *Academy of Management Review*, *Administrative Science Quarterly*, *Organization Science* et *Strategic Management Journal*.

En définitive, bien que les prescriptions contenues dans la liste des 10 règles présentées plus loin se rapportent directement aux travaux de recherche empiriques susceptibles d'être publiés dans une revue savante, elles ne s'y limitent pas. La grande majorité d'entre elles pourraient et devraient être suivies dans la préparation d'un texte théorique, d'une métaanalyse (pour ceux qui estiment qu'il ne s'agit pas d'une méthode empirique) ou même d'une recherche appliquée.

La contribution théorique

La recherche savante doit, par définition, apporter une contribution théorique. Cette contribution n'est pas toujours facile à apprécier étant donné, notamment, l'absence de consensus sur ce qu'est une théorie (voir, en particulier, Sutton et Staw, 1995). Ainsi, une théorie peut désigner, entre autres choses, une vision très générale de la réalité, un groupe de concepts plus ou moins liés, une hypothèse, un ensemble de convictions tenues pour acquises (*assumptions*), une explication d'une loi de la nature ou une interprétation d'un événement singulier (Cossette, 2004). Étrangement, les chercheurs semblent s'accommoder plutôt bien de cette grande ambiguïté.

Suivant la conception la plus courante, une théorie est une description de la réalité à laquelle s'intéresse le chercheur, à partir d'un ensemble de facteurs (ou variables) plus ou moins reliés entre eux, typiquement de façon causale (Whetten, 1989). De plus, et c'est peut-être là l'ingrédient le plus important et en même temps le plus souvent négligé d'une théorie, elle doit fournir une explication de la relation qui existerait entre ces différents éléments de la réalité. Kaplan (1964) avait déjà beaucoup insisté sur cette idée qu'une théorie devait apporter une réponse au *pourquoi* du lien entre divers facteurs, avant que Whetten (1989), Sutton et Staw (1995) ainsi que Daft (1995)[7] ne fassent de même dans le contexte particulier du développement des connaissances en gestion (voir aussi Rynes *et al.*, 2005). Ainsi, une théorie doit proposer une justification logique permettant au chercheur de prédire que, dans sa forme hypothétique la plus simple, A devrait conduire à B. S'il n'y a pas d'explication convaincante des raisons de cette relation anticipée ou constatée entre A et B, il n'y aurait tout simplement pas de théorie (ou, du moins, pas de théorie valable), selon les auteurs cités plus haut. Il est donc absolument essentiel que le chercheur explique le «bon sens» de chacune des hypothèses de sa recherche; pour reprendre les mots de Weick (1995a, p. 389), il doit préciser très clairement «pourquoi ces hypothèses plutôt que d'autres».

---

7.   Daft affirme même que c'est l'absence de théorie, dont la fonction serait essentiellement d'expliquer la relation entre les variables contenues dans une hypothèse, donc de lui donner un sens, qui l'amène le plus fréquemment à recommander le rejet des manuscrits qu'il est invité à évaluer pour des revues savantes.

Cependant, vue de cette manière, une théorie renverrait à peu près uniquement à un raisonnement de nature causale, autant dans la description des liens unissant certaines des variables constituant cette réalité que dans leur logique sous-jacente. Signalons aussi que cette conception s'appuie sur l'idée qu'il existerait dans la réalité des connexions stables ou naturelles entre diverses variables, une position ontologique restrictive et très discutable selon les tenants du constructivisme, en particulier en ce qui concerne la réalité sociale.

Pour ajouter à la confusion sur la notion de théorie, ce qui s'oppose à l'adjectif «théorique» peut varier énormément d'un contexte à un autre. Par exemple, pour certains, si un cours est théorique, c'est qu'il n'est pas *pratique*, comme s'il était possible qu'il n'y ait pas de théorie plus ou moins implicite derrière toute action du praticien. Par ailleurs, les articles théoriques publiés dans l'*Academy of Management Review* sont distingués des articles *empiriques* publiés dans l'*Academy of Management Journal*, même si les deux doivent impérativement apporter une contribution d'ordre... théorique! Quant au dictionnaire, il nous rappelle que le théorique relève de l'abstrait et non du *concret*. En somme, si ce n'est pas théorique, c'est pratique, empirique ou concret... Pour compliquer encore davantage, des termes distincts sont parfois utilisés pour rendre compte d'une idée très semblable, toujours liée à la notion de théorie. Par exemple, le cadre théorique d'une recherche est-il vraiment différent de son cadre *conceptuel*? Et les mots *théorie* et *modèle* ne sont-ils pas fréquemment employés comme des synonymes ou presque, même si le second terme sert aussi parfois à désigner la représentation graphique du premier?

Compte tenu des nombreux sens que peuvent avoir les mots *théorie* et *théorique*, on comprend facilement que le chercheur soucieux d'apporter une contribution théorique puisse se sentir un peu inquiet lorsqu'il élabore un projet de recherche. Mais il faut noter que la plupart des rédacteurs en chef de revues savantes ou encore des évaluateurs auxquels ils font appel paraissent aujourd'hui faire preuve d'une grande ouverture relativement à ce que représente une contribution théorique. À la lumière de leurs propres théories utilisées (*theories-in-use*) plutôt que de leurs théories affichées (*espoused theories*), pour reprendre une distinction proposée par Argyris et Schön (1974), les apports théoriques qu'ils estiment acceptables sont nombreux et variés.

Ainsi, dans les meilleures revues, apporter une contribution théorique dans une recherche empirique consiste souvent à proposer et mettre à l'épreuve une nouvelle théorie ou certaines de ses hypothèses. Il y aurait également contribution théorique lorsqu'elle vient ajouter ou enlever du crédit à une théorie existante en testant une ou plusieurs de ses hypothèses, ou encore lorsqu'elle contribue au développement de cette même théorie en y intégrant de nouvelles hypothèses. De façon plus générale, apporter une contribution théorique, c'est avancer de nouvelles idées à propos de la relation qui existerait entre différents construits, concepts, variables ou phénomènes, que ce soit à l'intérieur d'une recherche déductive, inductive ou autre. Habituellement, c'est la relation causale qui suscite le plus d'intérêt, mais d'autres liens peuvent également être au cœur d'une contribution théorique importante. Par exemple, la description des différentes étapes du développement ou de l'évolution d'un phénomène, la mise en évidence des caractéristiques d'un processus particulier ou encore la construction de typologies, configurations ou autres classifications, particulièrement dans le cas de recherches réalisées dans une perspective subjectiviste ou cognitiviste, sont certainement reconnues comme des contributions d'ordre théorique très valables, même si elles ne font pas appel à l'idée de causalité.

Par ailleurs, une recherche qui préciserait les conditions d'application d'une théorie (par exemple, en la mettant à l'épreuve dans différents contextes de façon à bien voir ses limites) ou encore les conditions de transfert des connaissances résultant d'une meilleure compréhension d'une situation unique à la compréhension d'autres situations considérées elles aussi comme uniques (à la suite d'une étude de cas, par exemple) serait sans doute jugée comme très acceptable dans de nombreuses revues. Il en serait de même d'une recherche faisant ressortir l'existence d'une variable médiatrice (ou intermédiaire) entre deux variables importantes d'une théorie ou encore d'une recherche montrant l'impact d'une variable modératrice (ou contingente) sur la relation entre ces deux variables; toutefois, selon Sara Rynes (2002), alors rédactrice en chef du *Academy of Management Journal*, les évaluateurs de cette revue ne considèrent généralement pas une telle contribution comme suffisante (tout en reconnaissant qu'elle pourrait être jugée acceptable ailleurs), surtout si elle ne modifie pas de façon substantielle notre compréhension du phénomène étudié (Whetten, 1989).

D'autres contributions peuvent également être dites théoriques, bien qu'elles ne se rapportent pas directement à la *relation* (causale ou non) entre différents facteurs. Ainsi, toujours en demeurant à l'intérieur d'une recherche empirique, il y aurait une contribution *conceptuelle* si le chercheur proposait un nouveau construit à la suite d'une recherche exploratoire, ou s'il clarifiait un concept existant à partir d'un examen exhaustif (et reposant sur un devis méthodologique bien précisé) de la façon dont ce construit est défini et employé dans la littérature. À cet égard, Rynes (2002) note que les évaluateurs du *Academy of Management Journal* mettent souvent en doute ce type

de contribution, alléguant que l'auteur aurait négligé d'examiner de
nombreux écrits abordant le même problème à partir de construits
différents mais renvoyant à des réalités très semblables. Cela ne doit
pas nous faire oublier que des construits plus ou moins récents et généraux tels que *apprentissage organisationnel, biais cognitifs, carte cognitive,
créativité, culture d'entreprise* (de même que *sous-culture* et *contre-culture*),
*enaction, équivocité, groupe stratégique, intelligence émotionnelle, mémoire
organisationnelle, rationalité limitée, stratégie délibérée, stratégie émergente,
veille stratégique* et *vision stratégique* (et combien d'autres !) contribuent
à façonner le champ de connaissances sur l'organisation et la gestion.
Selon la classification suggérée par Colquitt et Zapata-Phelan (2007), la
proposition de nouveaux construits constitue même le niveau le plus
élevé sur leur échelle de contribution à l'élaboration d'une nouvelle
théorie (*building new theory*), juste avant l'examen d'une nouvelle
relation entre des variables ou d'un nouveau processus ; mais, comme
Rynes (2002) l'avait fait avant eux, ils nous mettent en garde contre
le recyclage de vieux construits.

Une autre contribution, d'une nature pas très éloignée de la
précédente et qu'on pourrait qualifier d'« épistémologique », résulterait
de l'analyse des travaux de recherche réalisés par d'autres sur un objet
donné et en ferait ressortir les caractéristiques importantes (perspectives sous-jacentes, objectifs poursuivis, techniques de collecte et
d'analyse des données utilisées, résultats obtenus, etc.), de tels bilans
étant souvent présentés dans des métaanalyses. L'étude approfondie,
rigoureuse et systématique (donc, fondée sur un protocole méthodologique détaillé) de la pensée d'un auteur reconnu pour sa contribution
exceptionnelle entre également dans cette catégorie.

Finalement, une contribution *méthodologique* proviendrait de la
mise à l'épreuve d'une nouvelle méthode (ou technique, outil, procédé,
etc.) de collecte ou d'analyse de données, ou même d'intervention dans
un contexte particulier (par exemple, celui des systèmes d'aide à la
décision). L'accent devrait alors être placé sur les résultats de cette mise
à l'épreuve (ce que la méthode permet d'accomplir, ses limites, etc.) et
sur les implications de ces résultats pour la recherche à venir.

En somme, les apports susceptibles d'être considérés comme
intéressants sur le plan théorique semblent nombreux et variés, ce qui
n'est peut-être pas étranger au caractère polysémique du mot « théorie »
et de ses dérivés. Et, comme nous l'avons vu, une contribution d'ordre
théorique au sens large du terme peut désigner autant une contribution
théorique dans son sens le plus étroit (c'est-à-dire se rapportant à la
relation entre différents facteurs) qu'une contribution dite conceptuelle,
épistémologique ou méthodologique.

De façon générale, les critères de nouveauté et d'ancrage théorique sont fondamentaux pour évaluer l'importance d'une contribution théorique. Par exemple, proposer un construit vraiment nouveau, une typologie particulière ou des hypothèses originales à la suite d'une recherche inductive menée rigoureusement pourra être considéré comme une contribution théorique majeure. Comme de mettre à l'épreuve dans une recherche hypothético-déductive une théorie ou des hypothèses nouvelles (encore davantage si des variables en faisant partie sont tirées de construits nouveaux), solidement justifiées par l'état actuel des connaissances et appuyées par une logique causale convaincante. Cette contribution théorique sera perçue comme moins importante si les construits proposés ressemblent à des construits existants mais emballés différemment, ou si les hypothèses testées ont déjà été mises à l'épreuve mais dans des conditions un peu différentes.

Mentionnons qu'il existe des voix discordantes quant à l'absolue nécessité d'une contribution théorique dans la recherche en gestion. Ainsi, tout en reconnaissant que la théorie est essentielle au développement des connaissances en gestion, Hambrick (2007)[8] déplore l'attitude doctrinaire et obsessive derrière les exigences d'une contribution théorique forte posées dans la plupart des excellentes revues. Pourquoi, se demande Hambrick, ces revues ne s'ouvriraient-elles pas davantage à la recherche qui ferait ressortir des *faits* intéressants, même si elle n'était pas réalisée à partir d'un cadre théorique particulier et n'apportait pas vraiment de contribution théorique ? Citons l'exemple qu'il donne lui-même : la collecte de données ou d'observations sur le rendement d'entreprises adoptant un style de gestion à l'américaine (*american-style governance processes*) pourrait indiquer que ce rendement augmente dans les entreprises d'Allemagne ou d'Italie et qu'il diminue dans celles de Singapour ou de Thaïlande ; d'autres chercheurs pourraient alors se pencher sur ces données brutes et réaliser des études quantitatives ou qualitatives conduisant à l'émergence de nouvelles théories ou à l'enrichissement des théories actuelles sur la gouvernance, les institutions, la culture, etc. Pourtant, selon Hambrick, l'étude originale n'aurait vraisemblablement pas été acceptée pour publication dans une revue savante de bonne qualité à cause de sa faible contribution théorique. L'avenir nous réserve de beaux débats sur le sujet et certaines des règles actuelles proposées dans cet ouvrage subiront peut-être des modifications dans un avenir plus ou moins éloigné.

---

8. À ce sujet, voir aussi Pfeffer (2007).

Passons maintenant aux 10 règles. Pour chacune d'elles, je préciserai d'abord son objet, c'est-à-dire ce sur quoi elle porte exactement, en m'efforçant d'être le plus descriptif possible. Puis, dans un style clairement normatif, je formulerai des questions renvoyant à des critères d'évaluation de la qualité du travail accompli par le chercheur.

Formuler clairement l'objectif
général de la recherche,
le « problématiser » de façon
convaincante et bien mettre
en évidence l'intérêt
de le poursuivre.

L'objectif général d'une recherche, c'est sa raison d'être. On ne s'étonnera donc pas qu'il soit à peu près toujours formulé et décrit dès l'introduction d'un texte publié dans une revue savante. En fait, la quasi-totalité de l'introduction d'un article est consacrée à la présentation, à la problématisation et à l'intérêt sur le plan théorique de cet objectif général de la recherche.

Problématiser l'objectif fondamental d'une recherche, c'est justifier son existence – mais à grands traits – à partir de l'état actuel des connaissances. C'est donc *construire* le problème qui donnera naissance à l'objectif de la recherche, en s'appuyant sur quelques travaux dominants reflétant la situation présente de la conversation savante sur un objet particulier. C'est un peu comme si le chercheur retraçait les origines de l'objectif qu'il propose. En d'autres mots, il montre le chemin qu'il emprunte[1] pour légitimer l'objectif de sa recherche.

Ces travaux dominants auxquels le chercheur fait appel sont souvent récents, mais ils ne le sont pas nécessairement. À titre d'exemple, dans un article devenu un classique, Mintzberg (1971) justifiait l'objectif de mettre en évidence les caractéristiques du travail des gestionnaires en montrant que les travaux déjà réalisés sur cet objet, en particulier celui de Fayol publié plus de cinquante ans auparavant, dataient de plusieurs années et que le monde avait beaucoup changé depuis ce temps-là. Par ailleurs, bien qu'il soit habituellement recommandé de prendre connaissance des travaux originaux plutôt que de se fier à ce que d'autres en disent, les résultats des métaanalyses contribuent parfois à justifier ou à appuyer la poursuite d'un objectif général de recherche ; mais c'est surtout dans l'introduction d'un article que le chercheur y aura recours, au besoin.

Toute cette démarche de problématisation conduit donc surtout, ultimement, à mettre en relief ce qui *n'a pas* été fait[2], ce qui ne signifie évidemment pas, d'un point de vue théorique (et peut-être aussi social), que ce soit *intéressant* de le faire. Dit autrement, problématiser l'objectif global d'une recherche implique de découvrir un « trou » (en anglais, *gap*) dans la littérature savante sur un objet particulier ou plutôt, pour mieux refléter le caractère construit de tout problème de recherche,

---

1.   À ses propres yeux, c'est le meilleur, mais je signale ici qu'il aurait généralement pu en prendre d'autres.

2.   Dans le cas de recherches qualitatives, et en s'appuyant sur son impressionnante expérience à titre d'évaluateur, Pratt (2008, p. 498) affirme que « [...] les auteurs sont souvent plus habiles à rapporter ce qui a déjà été dit dans la littérature qu'à montrer ce qui n'a pas été dit ».

d'en *creuser* un. Mais il faut également s'interroger, comme le reconnaît Schminke (2004), sur la pertinence de le remplir! Un vide théorique doit en quelque sorte être significatif. Prenons un exemple.

Les recherches sur les propriétaires dirigeants de PME ont été très nombreuses et ont mis en évidence plusieurs de leurs caractéristiques psychologiques et sociodémographiques. Constater qu'on connaît peu de choses sur leurs caractéristiques physiques est peut-être rigoureusement exact et cette observation serait, au premier coup d'œil, susceptible de devenir l'élément clé de la problématisation d'un objectif de recherche visant à déterminer ces caractéristiques physiques. Toutefois, on devine vite que cet objectif n'aurait vraisemblablement aucune pertinence théorique. À moins que des recherches sérieuses aient déjà montré, par exemple, que les gens aux yeux foncés étaient plus persévérants que les autres (ou que les banquiers le croyaient...), que les individus de grande taille inspiraient plus confiance et que les personnes séduisantes parvenaient plus facilement à se constituer un réseau. Et, idéalement, que d'autres recherches aient fait ressortir l'existence d'un lien entre, d'une part, la persévérance, la capacité d'inspirer confiance et l'habileté à se construire un réseau et, d'autre part, l'esprit entrepreneurial. On verrait alors poindre la contribution théorique possible associée à l'atteinte de l'objectif d'une telle recherche.

En d'autres termes, alors que problématiser un objectif de recherche renvoie essentiellement à sa justification *en amont*, en montrer l'intérêt sur le plan théorique constitue principalement sa justification *en aval*. La poursuite d'un objectif de recherche repose donc en quelque sorte à la fois sur un motif de type «parce que», fortement ancré dans le passé, et sur un autre de type «afin de», résolument tourné vers l'avenir, pour reprendre une distinction proposée par Schütz (1953) dans un tout autre contexte. Comme si le premier répondait au *pourquoi* de la recherche, c'est-à-dire à ce qui en est la cause, et le second à son *pour quoi*, en deux mots, c'est-à-dire à ce qui en est l'intérêt ou l'apport espéré.

Au départ, c'est-à-dire dans l'introduction d'un article, l'objectif d'une recherche est habituellement formulé en des termes généraux. Mais, le plus souvent, cet objectif général va donner lieu à des questions précises (surtout dans le cas de recherches inductives) ou encore à des hypothèses (surtout dans le cas de recherches déductives), qui ne seront présentées que dans la partie suivant immédiatement l'introduction et portant sur les fondements théoriques de la recherche, partie qui fera l'objet de la règle nº 2[3]. Pour l'instant, signalons simplement que ces questions précises ou ces hypothèses devront, elles aussi, être problématisées, bien que de façon très spécifique, et que l'intérêt d'y répondre ou de les mettre à l'épreuve devra, là encore, être explicite. Cela, sans surprise, n'empêchera pas les recoupements ni même les répétitions, surtout si l'objectif général est formulé en termes assez précis ou encore si les questions précises ou hypothèses le sont en termes assez généraux.

Pour évaluer la qualité d'un objectif général de recherche, on peut faire appel à au moins trois critères, qui sont liés à sa formulation, à sa problématisation et à son intérêt. Très concrètement, on peut (et on doit!) se demander s'il est formulé clairement, s'il est problématisé de manière convaincante et si, d'un point de vue théorique, l'intérêt de le poursuivre est bien mis en évidence. Voyons cela de plus près.

L'objectif général de la recherche est-il formulé clairement?

Par définition, un objectif désigne un résultat à atteindre. Même s'il est général, il n'a pas à être vague ni flou et il doit être formulé clairement, assez du moins pour qu'on puisse évaluer à la fin, quantitativement ou qualitativement, dans quelle mesure il a effectivement été atteint. Il ne s'agit pas d'exposer la finalité ultime de la recherche, soit de pouvoir *prédire* (ou *expliquer, a posteriori*) à partir de la découverte d'une relation stable ou naturelle entre divers facteurs, pour ceux qui adhèrent à une vision fondamentalement objectiviste de la connaissance, ou encore de *comprendre* à partir de l'étude approfondie de cas considérés comme uniques, pour ceux qui ont plutôt une conception subjectiviste de la connaissance (à ce propos, voir Burrell et Morgan, 1979). Mais tout en

---

3. Il arrive que, dans l'introduction, l'objectif général d'une recherche soit plutôt présenté sous la forme d'une grande question de recherche. En fait, le lecteur pourra constater certaines variantes dans les articles publiés dans les meilleures revues savantes. Aussi, l'objectif général ou la grande question de recherche ne donne pas toujours lieu à des objectifs ou questions plus spécifiques, et les termes *objectif* et *question* sont souvent quasi interchangeables ou, à tout le moins, renvoient essentiellement au même but. Par souci de clarté, je vais m'en tenir exclusivement à l'expression *objectif général* dans l'explication de cette première règle et, le cas échéant, à l'expression *questions précises* (ou *spécifiques*) dans la partie sur les fondements théoriques de la recherche.

reconnaissant ce projet très global dans lequel s'inscrit toute recherche, l'objectif général d'une recherche doit être plus directement lié à ce qu'elle entend nous apprendre.

Ainsi, qu'importe si la finalité ultime d'une recherche est d'améliorer la capacité de prédiction ou la compréhension d'une réalité particulière, l'objectif général pourra être formulé dans des termes comme *déterminer*, *mettre en évidence* ou *mettre à l'épreuve* et porter, par exemple, sur la robustesse de telle théorie (nouvelle ou non), sur les caractéristiques de tel groupe de personnes ou d'activités ou encore sur les étapes de tel processus. Des mots comme *aborder*, *étudier*, *analyser*, *examiner*, *mettre l'accent sur* ou *s'intéresser à* ne se prêtent pas bien à la formulation d'un objectif de recherche, parce qu'ils ne témoignent pas véritablement d'un résultat à atteindre, même s'ils sont assez fréquemment employés dans des articles publiés dans des revues reconnues. Des termes tels que *s'efforcer*, *essayer* ou *tenter* sont également à proscrire, non seulement parce qu'ils ne désignent pas non plus un résultat, mais aussi parce qu'ils contiennent déjà les germes de l'échec. Dans le cas particulier de la recherche qualitative, Gephart (2004) déplore ouvertement l'absence de buts, d'objectifs ou de questions explicites dans de nombreux textes dont il a eu à faire l'évaluation au fil des ans.

Non sans lien avec ce qui précède, certains confondent parfois l'objectif d'une recherche avec son *objet*. À mes yeux, les deux sont pourtant très différents. Alors que l'objectif d'une recherche représente un but à atteindre, son objet (son sujet, diraient certains) indique ce sur quoi elle porte. Dans la plupart des cas, c'est un verbe qui rend compte d'un objectif de recherche (p. ex., déterminer, mettre en évidence, mettre à l'épreuve), mais c'est un nom qui désigne son objet (création d'entreprise, processus décisionnel, apprentissage organisationnel, vision stratégique, innovation, créativité, etc.).

Ajoutons qu'un objectif général de recherche ne doit pas être formulé de façon ambiguë, c'est-à-dire que le chercheur doit faire tous les efforts pour que cet objectif soit compris à peu près de la même manière par tous ceux qui en prendront connaissance. Nous ne discuterons pas ici des présumées vertus de l'ambiguïté dans certaines circonstances, y compris dans la production de connaissance[4], mais reconnaîtrons simplement qu'un objectif de recherche équivoque ne peut générer que de la confusion, autant chez le lecteur que chez le chercheur lui-même.

---

4. Voir, entre autres, le texte provocant d'Astley et Zammuto publié en 1992.

L'objectif général est-il problématisé de façon convaincante ?

Le raisonnement conduisant à l'émergence d'un objectif général de recherche doit être convaincant. Même s'il n'y a pas de recette miracle pour y arriver, l'argumentation justifiant la raison d'être d'une recherche possède dans la plupart des cas les caractéristiques suivantes.

ELLE EST BRÈVE

Le plus souvent, l'introduction d'un article de recherche contient entre quatre et sept paragraphes, le dernier servant généralement à présenter la suite de l'article, en particulier les grandes lignes des fondements théoriques de la recherche et de son cadre méthodologique. C'est très court… Si on présume que chaque paragraphe renvoie à une idée essentielle, le raisonnement justifiant l'objectif de la recherche doit faire appel à des idées peu nombreuses mais fondamentales. Il n'y a pas de place pour les détails, mais il y en a certainement pour les idées percutantes.

ELLE EST LOGIQUE

L'argumentation doit lier très rigoureusement les idées conduisant à l'objectif de la recherche. Très fréquemment, le chercheur adopte une approche «en entonnoir» – je fais également appel à l'image de l'utérus pour en rendre compte –, c'est-à-dire à une démarche dans laquelle l'agencement des idées va du plus large au plus étroit. Ainsi, le chercheur commence l'introduction par des considérations assez générales, avant de cibler quelques travaux dominants lui permettant éventuellement d'accoucher d'un problème et d'un objectif de recherche. L'enchaînement d'un paragraphe à l'autre doit donc être très bien fait, comme si le chercheur guidait le lecteur d'une idée à l'autre, ce qui sera évidemment plus facile à faire si l'idée de chaque paragraphe est déjà très claire. Le chercheur qui perdrait de vue cet ultime et unique aboutissement que constitue l'objectif de sa recherche, en s'aventurant par exemple dans un chemin connexe sans lien direct avec l'objectif de la recherche, s'éloignerait de cette logique particulière et risquerait de voir sa recherche avorter… et ne jamais faire l'objet d'une publication.

■ ELLE SE TERMINE PAR UN « PROBLÈME »

Selon Locke et Golden-Biddle (1997), la présentation de la littérature pertinente peut être organisée de plusieurs façons. Dans leur recherche portant sur 82 textes qualitatifs parus dans le *Administrative Science Quarterly* et l'*Academy of Managenent Journal* entre 1976 et 1996, elles ont montré que l'examen de la littérature pouvait être structuré parfois de manière à conclure à l'existence d'un problème qui serait en toute continuité avec ce que nous auraient appris les recherches passées, d'autres fois à aboutir à l'idée qu'une autre approche (ou perspective, cadre de référence, modèle, etc.) serait susceptible d'apporter un éclairage nouveau, ou encore, bien que beaucoup plus rarement (mais toujours très poliment...), à affirmer que la littérature actuelle devait être remise en question parce qu'elle irait dans une mauvaise direction. Cela ouvre la voie, respectivement, à une contribution *en extension* venant compléter ou raffiner ce qu'on connaît déjà, à une façon différente (bien que non opposée) d'aborder le même objet de recherche ou encore à une manière incompatible avec l'approche habituelle – et présumément supérieure à celle-ci – d'envisager la réalité étudiée.

L'examen de la situation courante de la conversation savante sur l'objet de sa recherche doit donc permettre au chercheur de faire un constat majeur à propos de cette littérature. En somme, le chercheur doit conclure qu'il existe un *problème*; c'est ce que j'appelle le cœur d'une problématique, révélé très souvent dans une seule phrase débutant par le terme «Cependant». Comme il se doit, les mots qui viennent immédiatement après cette conjonction posent ce problème, c'est-à-dire qu'ils affirment par exemple qu'on aurait accordé peu d'attention à ceci ou à cela, que la recherche actuelle ne permet pas d'expliquer tel ou tel phénomène, que les résultats des travaux réalisés jusqu'à maintenant sont ambigus ou contradictoires ou, de façon plus générale, qu'il y a dans la littérature savante un « trou » ouvrant la voie à un nouvel objectif de recherche. S'il n'y a pas de « trou », il n'y a pas de problématique. L'objectif d'une recherche ne pourra alors plus être justifié adéquatement et, conséquemment, il sera très difficile d'évaluer la contribution éventuelle de la recherche en fonction de l'état actuel des connaissances.

L'intérêt théorique de poursuivre l'objectif de la recherche est-il bien mis en évidence ?

À mon avis, la phrase débutant par le mot « Cependant » a fréquemment avantage à être suivie d'une autre commençant cette fois-ci par le mot « Pourtant » et montrant, très brièvement à ce moment-là, la pertinence théorique ou l'intérêt d'aborder le problème construit par le chercheur. Je crois qu'il y a là une occasion en or pour le chercheur de synthétiser en une seule phrase ce que sera d'après lui la « valeur ajoutée » de sa recherche, c'est-à-dire l'enrichissement qu'elle permet d'anticiper sur le plan théorique. Cette phrase, lourde de sens, pourrait être une excellente porte d'entrée à la formulation de l'objectif général de la recherche.

Quoi qu'il en soit, le chercheur devra discuter de façon plus approfondie de l'impact espéré de sa recherche sur le plan théorique. Il le fera habituellement dans un long paragraphe suivant la formulation de l'objectif général de sa recherche. Il devra alors démontrer de façon plus détaillée et très convaincante l'intérêt de le poursuivre, comme nous l'avons vu dans le chapitre précédent.

Parmi les recherches non pertinentes sur le plan théorique se trouvent celles dont le résultat est déjà largement prévisible ou même évident ; elles suscitent presque invariablement chez le lecteur un haussement d'épaules accompagné d'un plus ou moins retentissant *so what ?* Ce serait le cas, par exemple, de recherches visant essentiellement à déterminer si les hauts dirigeants ont un besoin de réussite élevé ou si le niveau de leadership des superviseurs exerce un impact sur la motivation des employés, ou encore si la gestion de la culture organisationnelle favorise l'intégration des employés de deux entreprises qui viennent de fusionner. Vaut-il la peine de consacrer des centaines d'heures de travail à poursuivre de tels objectifs, même en le faisant très bien ? Pour reprendre les propos de Peter Drucker[5] : « Il n'y a rien de plus inutile que de faire de manière efficiente ce qui ne devrait jamais être fait. »

Si l'on reconnaît généralement que l'objectif d'une recherche dont les résultats sont destinés à être publiés dans une revue savante doit nécessairement avoir une pertinence théorique, la plupart des acteurs concernés (dont les chercheurs, les évaluateurs, les rédacteurs en chef et, ne l'oublions pas, les praticiens) estiment aujourd'hui qu'une recherche en gestion doit également avoir une pertinence sociale,

---

5. Cité sur la page d'entrée de la section des comptes rendus de livres dans l'*Academy of Management Learning & Education*, 2004, 3 (2), p. 217.

c'est-à-dire être susceptible d'aider les gestionnaires, consultants et autres intervenants dans leur travail. Selon Rynes *et al.*, (2005), le chercheur doit se demander ce que le gestionnaire ferait différemment après avoir lu son manuscrit, que cette utilité concrète soit perçue comme immédiate ou à plus long terme.

Cet aspect est d'autant plus important que plusieurs déplorent depuis longtemps le peu d'impact de la recherche en gestion sur le fonctionnement des organisations elles-mêmes. Certains souhaiteraient qu'il y ait plus de recherches enracinées solidement dans la réalité des organisations et dans les problèmes vécus par les praticiens. De telles recherches pourraient s'avérer plus utiles pour le monde des organisations, ce qui ne les empêcherait absolument pas d'apporter une contribution théorique[6], comme le rappellent Daft et Lewin (1990, p. 7): «[...] les théories peuvent influencer et être influencées par la pratique de la gestion.»

Récemment, dans un essai bien documenté, Pfeffer (2007) constatait lui aussi l'influence pour le moins discrète de la recherche universitaire sur la gestion des organisations. Selon lui, les chercheurs manifesteraient peu d'intérêt pour l'étude de «ce qui marche» et de «ce qui ne marche pas» (p. 1338) dans les organisations, étant plus préoccupés par «ce qui est nouveau» que par «ce qui est vrai» (p. 1339). Ses propos sont certainement discutables, mais ils invitent clairement à se rappeler que la gestion renvoie à la fois à un champ de connaissances et à une pratique professionnelle.

Avant de conclure, qu'on me permette ici de proposer schématiquement un modèle d'introduction (figure 1) fondé sur ce qui a été dit précédemment. Ce modèle ne doit surtout pas être considéré comme un carcan rigide à respecter. Mais il pourrait bien aider certains chercheurs à mieux organiser la présentation de leurs idées.

---

6. N'est-ce pas là le double objectif des thèses produites dans un programme de DBA?

FIGURE 1

Modèle d'introduction d'un article de recherche

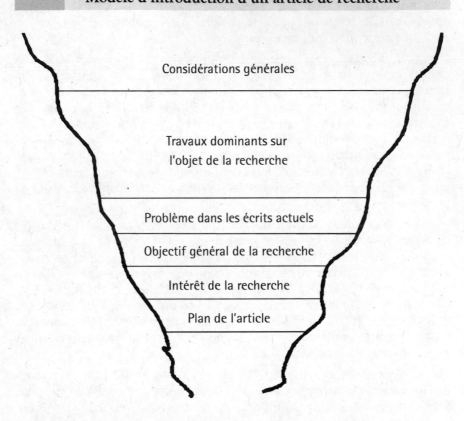

Considérations générales

Travaux dominants sur
l'objet de la recherche

Problème dans les écrits actuels

Objectif général de la recherche

Intérêt de la recherche

Plan de l'article

Conclusion

L'introduction d'un article est une partie extrêmement importante étant donné que, pris conjointement, l'objectif de la recherche, sa problématisation et sa pertinence théorique permettent d'apprécier sa contribution espérée ou, dit autrement, d'envisager sa valeur ajoutée. Sa préparation exige notamment de la part du chercheur une excellente connaissance de l'ensemble des travaux réalisés sur l'objet de sa recherche, ce qui lui permettra de repérer les travaux dominants. C'est une partie très difficile à construire et à rédiger, d'autant plus qu'elle est cruciale. D'ailleurs, l'expert à qui l'on a soumis un manuscrit pour évaluation a déjà, dans de nombreux cas, une idée assez précise de la recommandation qu'il entend faire dès qu'il a terminé la lecture de son introduction[7].

On peut illustrer cette indispensable justification en amont et en aval de l'objectif de la recherche par un merveilleux petit exercice proposé par Huff (1999). Elle suggère d'imaginer que tous les chercheurs associés à un domaine donné, qu'ils soient morts ou vivants, sont réunis dans une même salle et qu'il vous faut choisir, compte tenu de l'objectif encore provisoire de votre recherche, les trois ou quatre avec qui vous aimeriez discuter. En d'autres termes, en vous fondant sur les travaux réalisés par chacun, vous devez décider avec qui vous voulez «converser» compte tenu de la recherche que vous avez l'intention de faire. On peut penser que vous vous adresseriez alors à tour de rôle à chacun d'eux, à peu près en ces termes : «Dans votre recherche, vous avez montré que... De votre côté, vos résultats laissaient entendre que... Quant à vous, vous avez fait ressortir l'importance de... Compte tenu des résultats de tous vos travaux, je crois qu'il serait intéressant de déterminer...» Si, dans cet exercice imaginaire, les chercheurs concernés vous disent poliment qu'ils n'auraient peut-être pas dû être invités à participer à cet échange ou ne manifestent pas d'intérêt à le poursuivre, alors c'est très inquiétant... Par contre, s'ils sont stimulés par ce nouvel objectif de recherche et qu'ils engagent spontanément et passionnément la conversation avec vous, peut-être même de façon à modifier ou à enrichir le projet de recherche, il y a alors lieu de vous réjouir !

Bref, s'il y a un endroit dans la recherche où il faut être particulièrement convaincant, c'est dans l'introduction. Dans la foulée de l'exercice précédent, je suggère au chercheur d'imaginer un ou deux experts (qui pourraient bien être des évaluateurs du texte en question) en train d'en prendre connaissance : si ces lecteurs hypothétiques acquiescent sereinement et régulièrement d'un signe de la tête au moment de cette lecture de l'introduction ou s'ils arrivent à peine à contenir leur enthousiasme, tout va probablement très bien ; par contre, s'ils froncent nerveusement les sourcils, s'ils manifestent de l'impatience ou même de l'agressivité, s'ils hochent la tête comme s'ils

---

7. Personnellement, comme évaluateur, les situations les plus inacceptables auxquelles j'ai été confronté en rapport avec cette première règle sont les suivantes : un papier n'ayant aucun objectif de recherche, un texte dont l'objectif est présenté sans problématique sous-jacente ou dont l'objectif est sans lien avec le travail de problématisation réalisé, ou encore une recherche dont l'intérêt théorique est inexistant ou évoqué nulle part. Mais de telles situations sont plus susceptibles de se produire dans le cas de textes soumis pour une communication dans un congrès (surtout s'il est peu prestigieux) que pour une publication dans une revue d'un bon calibre.

étaient désemparés ou s'ils s'endorment, c'est que ça va vraisemblablement très mal. Une recherche doit faire écarquiller les yeux. Si elle n'a
pas ce petit côté surprenant, son avenir n'est apparemment pas très
reluisant, comme l'a montré Davis (1971) il y a longtemps.

Justifier les questions
ou hypothèses particulières
de la recherche et rendre
compte de son appareil
théorique, par un examen
de la littérature approfondi,
critique et bien structuré.

Toute recherche s'inscrit nécessairement dans un cadre théorique particulier, même si l'expression n'est pas systématiquement employée dans
les articles publiés dans des revues savantes[1]. Bien que les composantes
de ce cadre théorique soient susceptibles de varier considérablement
d'une recherche à l'autre, notamment en fonction de la perspective
adoptée sur le plan épistémologique et du caractère inductif ou déductif
de la recherche[2], elles doivent toujours refléter très explicitement les
fondements théoriques de la recherche.

Dans un article empirique type, ces fondements théoriques de
la recherche sont exposés dans une longue section (contenant souvent
des sous-sections) ou encore dans plusieurs sections plus courtes figurant entre l'introduction de l'article et la partie traitant des aspects
méthodologiques de la recherche. La plupart du temps, c'est là qu'on
trouve la majeure partie des références auxquelles le chercheur a recours
pour les besoins de sa recherche.

On a vu précédemment que l'introduction d'un article visait
à positionner la recherche de façon fondamentale, c'est-à-dire à
présenter clairement son objectif général, à bien le problématiser (mais
à grands traits) et à montrer l'intérêt de le poursuivre. La partie sur les
fondements théoriques de la recherche permet de la positionner de
manière beaucoup plus précise par rapport aux travaux déjà réalisés.
Plus exactement, elle sert d'abord et avant tout à justifier de façon
convaincante les questions spécifiques auxquelles elle entend répondre
(surtout dans les recherches de type inductif) ou encore les hypothèses
qui seront mises à l'épreuve[3] (essentiellement dans les recherches de
type hypothético-déductif) par un examen minutieux des travaux
antérieurs sur l'objet de cette recherche[4]. En d'autres termes, la revue de
la littérature pertinente prend généralement la forme d'une argumen-

---

1.   Elle l'est davantage dans les thèses.

2.   En fonction aussi, devrait-on ajouter avec un sourire en coin, des demandes des
     évaluateurs et du rédacteur en chef responsable de l'évaluation du manuscrit soumis
     à une revue...

3.   Pour faciliter la lecture du texte, je supposerai à compter de maintenant qu'il y a
     plus d'une question ou hypothèse par recherche, ce qui est généralement le cas de
     toute façon, du moins dans les revues de premier ordre. Ces questions ou hypothèses
     doivent découler directement de l'objectif général de la recherche formulé dans
     l'introduction.

4.   À de très rares exceptions près, une hypothèse de recherche doit donc être justifiée ou
     fondée sur le plan théorique, c'est-à-dire s'appuyer sur l'état actuel des connaissances.
     Elle ne peut pas «tomber du ciel», bien que son origine première réside fréquemment
     dans l'«intuition créatrice» dont parlait Popper (1973, p. 28) ou, pour reprendre
     les mots de Claude Bernard en 1865, dans «une sorte de pressentiment de l'esprit
     qui juge que les choses doivent se passer d'une certaine manière» (1966, p. 94). Le
     même raisonnement s'applique dans le cas d'une question précise de recherche.

tation devant aboutir à la conclusion qu'il existe sur le plan théorique un problème particulier à solutionner, un vide à combler ou encore une nouvelle voie intéressante à explorer. Cette conclusion constitue en quelque sorte le cœur de la problématisation des questions ou des hypothèses spécifiques de la recherche. Graphiquement, on peut résumer cette démarche de la manière suivante :

Revue de la littérature sur l'objet de la recherche

⇓

Conclusion montrant l'existence d'un ou de plusieurs
problèmes théoriques particuliers

⇓

Questions ou hypothèses spécifiques de la recherche

Lorsque la recherche vise à répondre à des questions particulières plutôt qu'à mettre à l'épreuve des hypothèses, ce qui est habituellement le cas des recherches descriptives et inductives reposant sur la collecte et l'analyse de données qualitatives, ces questions sont la plupart du temps justifiées en bloc et placées ensemble à la toute fin de cette partie sur les fondements théoriques de la recherche[5]. Par contre, lorsque la recherche est de type hypothético-déductif, la catégorie encore dominante en gestion, les hypothèses sont généralement justifiées au fur et à mesure de l'examen critique de la littérature, bien qu'elles soient fréquemment résumées dans une même figure ou un même tableau juste avant la présentation du cadre méthodologique de la recherche.

Parfois, il n'y a pas de questions précises ni d'hypothèses dans la partie sur les fondements théoriques de la recherche. Par exemple, ce sera le cas lorsque la recherche ne s'inscrit pas dans le modèle classique de production de connaissances (fort bien décrit par Chalmers en 1976), que ce soit dans sa phase inductive ou dans sa phase déductive ; la recherche vise alors à apporter une compréhension approfondie de situations considérées comme fondamentalement uniques et non généralisables sur la base de prétendues lois de la nature qui régiraient la réalité organisationnelle (à ce propos, voir Cossette, 2004). Lorsqu'il n'y a pas de questions de recherche très spécifiques ni d'hypothèses à

---

5. Notons que, dans le cas de recherches inductives, il arrive que les questions spécifiques de la recherche soient présentées dans l'introduction de l'article et uniquement à cet endroit.

tester, l'objectif général présenté et problématisé dans l'introduction de l'article devient encore plus important, et il est alors souvent formulé de façon plus précise ou pointue.

Dans tous ces cas où la partie sur les fondements théoriques de la recherche ne contient pas explicitement de questions auxquelles répondre ni d'hypothèses à mettre à l'épreuve, l'examen critique des travaux antérieurs aide tout de même à positionner la recherche de façon précise sur le plan théorique. Mais, dans de telles circonstances, cet examen de la littérature pertinente sert principalement à guider la construction éventuelle du cadre méthodologique et, de façon générale, à bien comprendre l'ensemble de la recherche. L'attention est alors concentrée sur les concepts importants de la recherche, sur la perspective épistémologique privilégiée et sur tout autre travail ayant un impact sur la réalisation de la recherche (particulièrement sur la fabrication d'un questionnaire, d'un guide d'entretien ou d'un autre instrument de mesure) ou sur sa compréhension dans son ensemble. En d'autres mots, le chercheur sera porté à insister sur les écrits passés l'aidant en quelque sorte à préparer le futur très directement, c'est-à-dire à mettre en place l'« appareil » théorique[6] rendant intelligible la suite de sa recherche, en particulier certaines décisions touchant son cadre méthodologique.

Il y a plusieurs questions importantes qu'on peut se poser lorsqu'on évalue la qualité de la présentation des fondements théoriques d'une recherche. Quand il y a des questions spécifiques ou des hypothèses à justifier, on ne s'étonnera pas que les critères soient semblables à ceux retenus pour l'évaluation de la qualité de l'objectif général de la recherche (voir la règle n° 1). Mais il y en a d'autres très importants ; ceux qui sont chargés de l'évaluation d'un manuscrit soumis à une revue savante ne les ignorent habituellement pas.

Les questions spécifiques ou les hypothèses de la recherche sont-elles bien formulées ?

Les questions spécifiques de la recherche doivent évidemment être formulées très clairement, assez pour qu'on puisse déterminer plus tard si la recherche y a répondu de façon satisfaisante. Il en est de

---

6.   Qu'on pourrait également qualifier de conceptuel et même d'épistémologique pour ceux qui estiment que l'adjectif *théorique* n'inclut pas les deux autres.

même pour les hypothèses qui doivent *pouvoir* être mises à l'épreuve, c'est-à-dire qui doivent être vérifiables ou, à tout le moins, «falsifiables» pour ceux qui, comme Popper (1959), ne croient pas qu'une hypothèse puisse être prouvée de façon définitive.

L'examen de la littérature est-il approfondi?

Le chercheur qui se contente d'un examen superficiel de la littérature sur l'objet de sa recherche ne réussira pas à la positionner solidement sur le plan théorique. Ainsi, ignorer – sciemment ou non – les résultats d'excellents travaux publiés dans des revues reconnues, tirer des conclusions inappropriées ou faire des inférences erronées de recherches permettant de légitimer la sienne, ne pas préciser suffisamment l'apport théorique des recherches citées ni l'angle théorique ou épistémologique à partir duquel elles ont été réalisées, ou encore attribuer des idées intéressantes à des chercheurs (collègues, amis, etc.) qui n'en méritent pas la paternité indique avant tout que le chercheur ne possède pas une connaissance très précise de la littérature pertinente. J'ai également tendance à tirer cette même conclusion lorsque l'espace consacré à nommer des auteurs est plus grand que celui réservé à citer des idées... Ce qui, dans tous les cas, affaiblit le cadre théorique de la recherche.

L'examen de la littérature est-il critique?

C'est peut-être ici que la maturité intellectuelle du chercheur se manifeste le plus ouvertement. L'examen de cette littérature pertinente devient vraiment critique quand il fait ressortir les limites ou autres problèmes d'ordre théorique des travaux antérieurs. Cette démarche est essentielle parce qu'elle permet de justifier adéquatement les questions précises ou encore les hypothèses qui seront étudiées dans la recherche.

Cet examen critique de la littérature conduit parfois le chercheur à présenter les hypothèses de sa recherche, lorsqu'il y en a, à l'intérieur d'une figure représentant le modèle théorique de l'objet de sa recherche (ou encore d'un tableau résumant ces hypothèses). Ce modèle théorique, élaboré par lui-même ou emprunté à quelqu'un d'autre lorsque lesdites hypothèses n'auraient pas encore été mises à l'épreuve, contient donc un ensemble de variables réunies par des liens qui font l'objet des différentes hypothèses de la recherche. On devine que la contribution théorique de la recherche est susceptible d'être considérée comme encore plus importante lorsque le modèle en question a été construit par le chercheur lui-même plutôt que proposé par quelqu'un d'autre; cependant, l'intégration réussie et bien justifiée dans un nouveau modèle d'un ensemble de variables liées de façon significative constitue un défi de taille... De même, la contribution pourra être plus grande si plusieurs des hypothèses contenues dans le modèle – voire toutes – sont mises à l'épreuve, ce qui est fonction évidemment de l'ampleur que le chercheur veut donner à son travail.

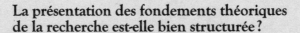

La présentation des fondements théoriques de la recherche est-elle bien structurée?

Comme je le mentionnais précédemment, la partie sur les fondements théoriques d'une recherche peut occuper une ou plusieurs sections, certaines contenant parfois plusieurs sous-sections. Les titres de chacune de ces sections et sous-sections indiquent déjà comment le chercheur a choisi de structurer la présentation des fondements théoriques de sa recherche. Par exemple, plusieurs commencent cette partie par des considérations assez générales sur l'état actuel de la littérature, avant de justifier dans des sous-sections spécifiques chacune des hypothèses de la recherche.

Tant cette organisation de la présentation des fondements théoriques de la recherche en différentes sections et sous-sections que le traitement «logique» de la littérature pertinente dans chacune d'elles doivent justifier de façon convaincante l'arrivée des questions ou hypothèses de la recherche. Il y a là un exercice de rhétorique qui est loin d'être simple, mais qui est déterminant dans l'acceptation du manuscrit soumis à une revue.

Bien sûr, cette logique linéaire dans le texte ne reflète pas fidèlement la démarche beaucoup plus itérative que séquentielle ayant effectivement été suivie par le chercheur et ayant donné naissance aux questions ou hypothèses de la recherche. Ainsi, chez la plupart des chercheurs, un examen sommaire de la littérature conduit à une première formulation de ces questions ou hypothèses, ce qui oriente la poursuite de la recension des écrits, laquelle donne alors lieu à des questions ou hypothèses différentes ou plus précises qui, à leur tour, conduisent le chercheur vers une nouvelle documentation, et ainsi de suite, généralement de manière très personnelle et un peu désordonnée. Le chercheur n'a pas à rendre compte de cette démarche, ce qu'il serait d'ailleurs vraisemblablement incapable de faire. Cependant, on s'attend à ce que ses propos retracent de façon bien ordonnée et cohérente le chemin intellectuel culminant dans la formulation des questions ou hypothèses de la recherche.

On comprendra alors facilement que la revue de la littérature pertinente ne peut pas faire l'objet d'une présentation chronologique ; elle doit nécessairement être guidée par les questions ou hypothèses auxquelles elle donne lieu. Le chercheur doit toujours les avoir à l'esprit lorsqu'il présente et discute de la littérature pertinente, étant donné que son principal défi est de persuader le lecteur du bien-fondé de ces questions ou hypothèses.

La contribution théorique des questions spécifiques ou hypothèses de la recherche est-elle bien précisée et substantielle ?

Comme dans le cas de l'objectif général d'une recherche, la justification d'une question précise ou d'une hypothèse de recherche ne peut pas reposer uniquement sur le fait qu'elle n'ait pas encore été étudiée ni mise à l'épreuve ; elle doit clairement faire ressortir en quoi la réponse à cette question ou la mise à l'épreuve de cette hypothèse constituera une contribution intéressante sur le plan théorique. Elle doit mettre en relief ce qu'on apprendra de neuf et d'excitant par rapport à ce qu'on connaît déjà. Entre autres choses, le chercheur a avantage à bien préciser la logique rendant plausible chacune de ses hypothèses (lorsqu'il y en a, évidemment), c'est-à-dire à expliquer pourquoi exactement il existerait un lien entre telle variable et telle autre ou pourquoi ceci devrait conduire à cela, un point sur lequel j'ai insisté dans l'introduction de ce livre ; pour reprendre les termes de Rynes *et al.* (2005, p. 733), « [...] une erreur commune est de simplement lister les résultats des recherches empiriques déjà réalisées afin de justifier les hypothèses proposées. La contribution théorique d'un tel manuscrit serait alors jugée insatisfaisante pour *AMJ* à cause de l'absence d'une logique théorique sous-jacente à ces hypothèses. »

Les principaux concepts
de la recherche sont-ils bien définis?

Règle générale, les principaux concepts d'une recherche – on les repère facilement par un simple coup d'œil sur le titre de l'article ou encore sur l'objectif général de la recherche et les questions spécifiques ou les hypothèses auxquelles il donne lieu – doivent être définis sans aucune ambiguïté. On peut s'attendre à ce que, pour y arriver, le chercheur examine minutieusement les principales définitions déjà employées dans d'autres travaux de recherche, en fasse ressortir les ressemblances et les différences et, surtout, leurs limites compte tenu de ce qu'il souhaite faire dans sa propre recherche. À la fin, il empruntera une définition à quelqu'un d'autre ou en proposera une nouvelle, ce qu'il devra justifier dans les deux cas. La définition des concepts centraux de la recherche a une importance cruciale étant donné, notamment, qu'elle guidera dans une large mesure la fabrication – ou l'adoption – de l'outil de collecte des matériaux (questionnaire, guide d'entretien, etc.). Selon Daft (1995) et Gephart (2004), il est fréquent que les concepts clés d'une recherche, qu'elle soit de nature qualitative ou quantitative, soient mal définis.

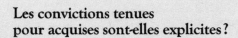

Les convictions tenues
pour acquises sont-elles explicites?

Les fondements théoriques d'une recherche renvoient également aux choix du chercheur quant à l'orientation de sa recherche sur le plan épistémologique (néopositivisme, constructivisme, etc.) ainsi qu'à la théorie[7] plus ou moins générale (p. ex., théorie de la structuration, théorie fondée sur les ressources, théorie du renforcement) qui en guide la réalisation. Ces choix mettent principalement en évidence les convictions tenues pour acquises sur lesquelles va s'appuyer le chercheur tout au long de sa recherche.

Il ne s'agit pas ici pour le chercheur de tenir un long discours sur le processus de constitution des connaissances vu d'un certain angle théorique ou épistémologique, mais de faire état des convictions fondamentales sur lesquelles il fonde sa recherche. Cela permettra de

---

7.   Il peut y en avoir plus d'une.

mieux comprendre l'objectif de la recherche, le cadre méthodologique mis en place pour l'atteindre ou encore la façon dont les résultats seront interprétés ou commentés.

Conclusion

Préciser les fondements théoriques d'une recherche doit permettre de la positionner de façon beaucoup plus détaillée que dans l'introduction de l'article et de le situer par rapport aux autres recherches portant sur le même objet. Essentiellement, ces fondements doivent servir à justifier, le cas échéant, les questions spécifiques auxquelles la recherche entend répondre ou les hypothèses qu'elle mettra à l'épreuve.

Mais traiter des fondements théoriques d'une recherche exige également de jeter un regard en avant et de rendre compte de l'appareil théorique mis en place pour atteindre l'objectif général de la recherche, pour répondre à ses questions spécifiques ou pour mettre à l'épreuve ses hypothèses. Cela demande, notamment, de bien définir les principaux concepts de la recherche après un examen attentif de la littérature sur chacun d'eux, ainsi que de rendre explicites les convictions tenues pour acquises sur lesquelles le chercheur va s'appuyer. Cet appareil théorique est particulièrement important pour la construction du cadre méthodologique de la recherche, ce dont il sera maintenant question.

Être très explicite sur tous
les éléments du cadre
méthodologique de la recherche,
procéder d'une manière
adéquate sur le plan technique
et s'assurer que tout soit
en accord avec l'objectif
de la recherche et ses
fondements théoriques.

Nous avons vu que problématiser l'objectif général d'une recherche (de même que ses hypothèses ou questions particulières) consistait à répondre au *pourquoi* de la recherche, alors que mettre en évidence son intérêt sur le plan théorique renvoyait plutôt à son *pour quoi* (en deux mots). Le cadre opératoire d'une recherche, lui, est associé à son *comment*, c'est-à-dire à tout l'appareil méthodologique mis en place en vue de sa réalisation.

Dans la plupart des cas, le chercheur regroupe à l'intérieur d'une même section (et, parfois, plusieurs sous-sections) les éléments du devis méthodologique de sa recherche. Ainsi, il va décrire habituellement la stratégie générale qu'il a privilégiée (étude de cas, méthode expérimentale, enquête, recherche-action, etc.), la procédure d'échantillonnage qu'il a suivie (au hasard, stratifié, de convenance, etc.), les caractéristiques des participants (ou activités, entreprises, etc.) constituant cet échantillon, le milieu dans lequel se déroule la recherche (organisation, laboratoire, etc.), la ou les méthodes de collecte des données utilisées (entrevue, questionnaire, observation, test, etc.), la façon dont les variables indépendantes, dépendantes et de contrôle (s'il y en a) sont opérationnalisées ou mesurées, la procédure suivie pour contacter les sujets et recueillir les données (explications fournies, durée du séjour en entreprise, etc.), les techniques d'analyse employées (statistiques, analyse de contenu, etc.) et tout autre élément d'ordre méthodologique.

C'est dans cette partie sur le cadre méthodologique de la recherche qu'on voit avec le plus de clarté si le chercheur va travailler avec des données quantitatives (essentiellement des chiffres), qualitatives (surtout des mots ou des discours) ou les deux[1]. Traditionnellement, la recherche quantitative a dominé en gestion, mais la recherche qualitative occupe de plus en plus d'espace[2]. Par exemple, la proportion des études qualitatives publiées dans l'*Academy of Management Journal* est passée de 5,5 % en 2004 à 9 % en 2005 et à 15 % en 2006 (Rynes, 2006) et le prix du meilleur article de l'année dans cette revue (*AMJ Best Article Award*) a été attribué à au moins cinq occasions à des recherches s'appuyant sur l'emploi de méthodes qualitatives (Rynes *et al.*, 2005 ; voir également Rynes, 2005) ; dans le cas de la revue *Administrative Science Quarterly*, un tel prix qui n'existe que depuis 1995 (1986 dans

---

1. L'emploi de ces deux types de données est fréquent dans les études de cas (voir, notamment, Eisenhardt, 1989), peut-être même davantage lorsque le chercheur compare plusieurs cas à l'intérieur d'une même recherche (voir, par exemple, Eisenhardt et Bourgeois, 1988).

2. Il existe d'excellents textes sur la recherche qualitative en gestion. En français, je recommande, entre autres, la lecture du livre de Giordano (2003).

le cas précédent) a été attribué à une recherche qualitative en quatre occasions, selon les informations fournies par Pratt (2008). De plus, il est intéressant de constater, comme le notait Barley (2006), que 11 des 17 articles (65 %) ayant reçu deux votes ou plus dans l'enquête que Bartunek *et al.* (2006) ont menée auprès des membres du comité de rédaction (*editorial board*) de l'*Academy of Management Journal* sur les meilleurs articles empiriques publiés au cours des cent dernières années, reposaient substantiellement sur des données qualitatives.

Habituellement, les données qualitatives sont recueillies lorsque le but de la recherche est de mieux comprendre une réalité particulière, ce qui nécessite habituellement d'avoir accès aux représentations que s'en donnent les acteurs concernés. Elles sont souvent omniprésentes dans des études descriptives relatant « qui a dit quoi, à qui, comment, quand et pourquoi » (Gephart, 2004, p. 455). Elles conviennent très bien à l'étude de processus tels que le changement stratégique, l'apprentissage organisationnel ou l'innovation technologique, même si, d'une part, les données qualitatives figurent aussi dans des recherches ne portant pas sur l'étude d'un processus et que, d'autre part, l'étude d'un processus peut se faire à partir de données quantitatives (Langley, 1999).

Dans le cas d'une étude qualitative, le chercheur va généralement décrire longuement le contexte dans lequel elle prend place, un élément considéré comme essentiel pour faire ressortir toute la richesse d'une étude de cas. Puis, il va présenter la ou les méthodes auxquelles il fait appel pour obtenir ces données qualitatives (entrevue en profondeur ou semi-structurée, observation participante, étude de documents, etc.). Parfois, le chercheur va ensuite transformer les matériaux qualitatifs recueillis en données quantitatives[3] (nombre de fois qu'un mot est employé, présence ou absence d'un lien entre deux concepts, etc.) qu'il va analyser à l'aide de techniques statistiques plus ou moins complexes[4] plutôt que, par exemple, d'une analyse thématique traditionnelle ou d'une analyse de contenu réalisée à l'aide de logiciels tels que ATLAS/ti et NUD•IST.

---

3. Selon Langley (1999), il est un peu ironique qu'après s'être donné autant de mal pour récolter de riches données qualitatives, le chercheur soit si peu à l'aise avec toute cette richesse qu'il s'empresse de transformer ces données qualitatives en données quantitatives analysables de façon traditionnelle.

4. Dans les travaux où j'ai utilisé la cartographie cognitive, la transformation de matériaux qualitatifs en concepts et liens permettait d'en faire une analyse essentiellement quantitative (par exemple, une analyse de regroupement ou *cluster analysis*) à l'aide du logiciel Decision Explorer (voir, notamment, Cossette, 2008 et 2002). Cette analyse quantitative mettait en relief des caractéristiques de la pensée des individus ou groupes concernés qu'il aurait été difficile, voire impossible, de faire ressortir à l'aide d'une analyse de contenu qualitative.

Ce passage de matériaux qualitatifs à des données quantitatives à l'intérieur d'une même recherche invite à se rappeler que si ce sont d'abord les *données* qui sont qualitatives ou quantitatives, les méthodes de collecte de ces données ainsi que les techniques mobilisées pour leur analyse ont également un caractère qualitatif ou quantitatif, selon le type de données qu'elles permettent respectivement de récolter et d'analyser. Parfois, il peut même devenir difficile d'affirmer que nous sommes en présence d'une recherche qualitative ou quantitative, notamment lorsque les données brutes recueillies sont à la fois qualitatives et quantitatives, surtout si elles le sont d'une manière assez équivalente. Cela se produit également, comme l'a bien reconnu Gephart (2004), lorsque le chercheur emprunte des méthodes qualitatives pour recueillir des données qu'il analyse ensuite à l'aide de techniques quantitatives. Pratt (2008) considère même que dans une recherche qualitative, l'inclusion de données quantitatives et l'analyse quantitative de données qualitatives peuvent être des tactiques que le chercheur utilise pour rendre son texte plus acceptable aux yeux de certains évaluateurs.

Dans un article, le chercheur explique généralement aussi ce qui l'a amené à faire tous ces choix méthodologiques ; en d'autres termes, il justifie les décisions qu'il a prises. Parfois, il va décrire également les limites de ces choix (par exemple, le phénomène de désirabilité sociale a-t-il pu jouer un rôle dans les réponses fournies par les participants ?), bien que plusieurs préfèrent attendre la discussion des résultats pour en faire état.

Pour déterminer la qualité du devis méthodologique d'une recherche, il y a plusieurs questions qu'on peut se poser. Comme nous allons maintenant le voir, les plus importantes concernent la précision des informations données, le savoir-faire du chercheur sur le plan technique et, finalement, la cohérence du cadre méthodologique avec l'objectif de la recherche et ses fondements théoriques.

Le chercheur est-il très explicite sur tous les éléments constituant l'appareil méthodologique de sa recherche ?

Le souci du détail est très important ici. Si le chercheur est trop vague dans la description qu'il donne des procédures suivies pour recruter ou échantillonner les participants, pour opérationnaliser ou mesurer les variables de la recherche, pour recueillir et analyser les données ou encore pour toute autre opération liée au cadre méthodologique de la recherche, le lecteur se sentira peut-être un peu perdu et possiblement très agacé… Il en sera de même si les informations sur les participants de la recherche, le milieu dans lequel elle prend place, les instruments de mesure ainsi que les méthodes ou techniques de collecte et d'analyse des matériaux sont manquantes ou imprécises. Mais toutes ces informations doivent évidemment être pertinentes, c'est-à-dire importantes compte tenu principalement de l'objectif de la recherche et de l'analyse des résultats à venir. Ainsi, il ne serait pas approprié de multiplier les informations sur les caractéristiques des participants, leur nombre étant infini; seules celles qui sont clairement associées à la recherche doivent faire l'objet d'une attention spéciale.

Dans une recherche qualitative, cette description des aspects méthodologiques, en particulier du contexte dans lequel elle prend place, peut occuper beaucoup d'espace. Cela aura pour effet de rendre un peu plus compliquée la publication de ce travail dans une revue savante, la plupart d'entre elles ayant des contraintes à cet égard. De plus, la question de la pertinence des informations se pose un peu différemment. Ainsi, dans un ouvrage considéré comme un classique sur la recherche qualitative, Lincoln et Guba (1985) reconnaissaient la difficulté de faire la distinction au départ entre une information pertinente et une qui ne l'est pas. Plus précisément, étant donné que, selon eux, c'est le lecteur qui va vraiment décider dans quelle mesure les résultats obtenus peuvent s'appliquer à telle ou telle autre organisation – d'aujourd'hui, d'hier ou de demain – et qu'il fait cette évaluation à partir du degré de similarité qu'il perçoit entre l'organisation étudiée et celle qu'il a en tête, le chercheur ne peut pas connaître à l'avance quels éléments d'information le lecteur considérera comme importants pour faire cette évaluation. Conséquemment, Lincoln et Guba estimaient qu'il était préférable de décrire le contexte de façon aussi précise que possible afin de faciliter cet exercice particulier de généralisation. En d'autres termes, *toutes* les informations sur le contexte seraient susceptibles d'être pertinentes.

Aujourd'hui, l'approche est généralement un peu différente. La description du cadre méthodologique d'une recherche ne semble plus guidée par l'idée que plus il y a de détails, mieux c'est. Ainsi, Pratt (2008) suggère de s'en tenir à la liste précise de questions qu'il a dressée à partir des textes qualitatifs évoqués précédemment et ayant mérité le prix du meilleur article dans l'*Academy of Management Journal* et l'*Administrative Science Quarterly*. Ces questions, auxquelles le chercheur devrait répondre et qui paraissent très semblables à celles qu'on trouve dans les articles quantitatifs, portent sur les quatre éléments suivants: 1) la justification de l'emploi de méthodes qualitatives compte tenu de l'objectif de construire, développer ou mettre à l'épreuve une théorie;

2) le contexte dans lequel l'étude prend place et la logique ayant mené au choix de ce contexte ; 3) l'échantillon lui-même (événements, cas, individus, etc.) et la procédure suivie pour le constituer ; et enfin 4) la stratégie d'analyse privilégiée et la façon de lier les données à la théorie.

Même si de nos jours la section sur le cadre méthodologique d'une recherche qualitative semble généralement plus courte qu'auparavant, elle demeure tout de même presque toujours plus longue que dans une recherche quantitative. Heureusement, dans de nombreuses revues, la nouvelle tendance est d'accepter que des articles soient plus longs si la recherche le requiert et la contribution le justifie. À titre simplement illustratif, la recherche qualitative de Corley et Gioia publiée en 2004 occupe 36 pages dans l'*Administrative Science Quarterly*.

Les questions d'ordre éthique ne doivent pas être oubliées. Par exemple, chacun a-t-il donné son plein consentement pour participer à la recherche ? Le cas échéant, comment le chercheur justifie-t-il que les participants aient été observés à leur insu ou encore qu'ils n'aient pas su qu'ils participaient à une recherche ? Comment l'anonymat ou la confidentialité ont-ils été garantis aux participants et quelles mesures ont été effectivement prises pour préserver l'un ou l'autre ?

Idéalement, cette description des éléments du cadre opératoire de la recherche devrait être tellement claire et précise que le lecteur devrait avoir l'impression de pouvoir reproduire la recherche, y compris dans une étude qualitative (Lee, 2001), même s'il est pratiquement impossible de vraiment reproduire une telle recherche (Pratt, 2008). Mais il faut toutefois éviter de tomber dans l'évidence ou de fournir des informations dont on ne peut même pas imaginer qu'elles puissent être utiles au lecteur.

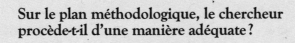

Sur le plan méthodologique, le chercheur procède-t-il d'une manière adéquate ?

Ici, c'est essentiellement l'expertise technique du chercheur qui est en cause. Ses décisions et ses actions doivent témoigner de la qualité de sa formation en méthodologie de la recherche et des compétences qu'il a développées au fil de ses travaux de recherche. Il doit démontrer qu'il possède les connaissances et le savoir-faire nécessaires sur le plan méthodologique.

Plusieurs questions précises viennent rapidement à l'esprit. Par exemple, le chercheur est-il à l'aise avec la stratégie générale (expérimentale, ethnographique, etc.) qu'il a choisie? A-t-il procédé de façon à limiter les biais de son échantillon, qu'importe la méthode privilégiée? A-t-il pris les moyens qu'il fallait pour réduire son influence sur les participants de la recherche (et sur la situation en général) ou celle des participants (et de la situation) sur lui-même, en particulier dans une recherche qualitative? A-t-il démontré sa compétence dans l'utilisation des outils auxquels il fait appel?

De façon générale, les critiques les plus sévères portent sur les questions de validité[5]. Il y a d'abord la validité de *construit*, touchant la façon plus ou moins acceptable d'opérationnaliser les variables (indépendantes, dépendantes et de contrôle) de la recherche. Comment ou par quels indicateurs des variables comme l'innovation, la confiance, le rendement ou la satisfaction sont-elles mesurées? Par exemple, le taux d'absentéisme dans une entreprise ne serait pas une mesure adéquate du niveau de satisfaction des employés... Les items du questionnaire ou du test, les comportements visés par la grille d'observation, les questions du guide d'entrevue, etc., sont-ils légitimes ou bien justifiés, notamment par la littérature portant sur les mêmes construits? Cela n'empêche pas le chercheur de s'éloigner des façons de faire reconnues, s'il peut mettre de l'avant des arguments convaincants pour le faire.

Très liée à la validité de construit, il y a la validité de l'*instrument de mesure*. Mesure-t-il bien ce qu'il prétend mesurer? Est-il fiable ou fidèle (*reliable*) – une condition essentielle pour qu'il soit considéré comme valide –, c'est-à-dire donne-t-il des résultats constants qu'importe le chercheur qui l'utilise ou le moment où il le fait, ou encore conduit-il à des observations concordantes de la part de différents codeurs? À ce sujet, Schminke (2004) conseille au chercheur d'examiner soigneusement la littérature pour s'assurer qu'il n'existe pas déjà un instrument de mesure à la fois fiable et valide avant de développer lui-même un instrument pour mesurer l'un ou l'autre des construits de la recherche. Il ne faut pas oublier que la mise au point de nouveaux outils peut être très complexe et exiger des habiletés difficiles à maîtriser. Qu'on pense, notamment, à la fabrication d'un test et à ses propriétés psychométriques... Même la construction d'outils plus simples comme un questionnaire, un guide d'entrevue ou une grille d'observation demande aussi un savoir-faire particulier. Par exemple, les questions sont-elles bien rédigées (sans ambiguïté, dans un langage simple, précis

---

5.   À ce propos, je recommande fortement la lecture du texte de Drucker-Godard *et al.* (2003).

et neutre, etc.) ? Quoi qu'il en soit, si l'un ou l'autre des instruments de collecte de données devait être mis au point par le chercheur lui-même, ce dernier devrait évidemment décrire de façon précise le processus de sa construction et, idéalement, joindre en annexe l'instrument ou certaines de ses parties.

Finalement, et très important, qu'en est-il de la validité *interne* et de la validité *externe* des résultats de la recherche ? En recherche qualitative, particulièrement lorsque la perspective adoptée est constructiviste plutôt que positiviste ou postpositiviste, on parlera plutôt de *crédibilité* et de *transférabilité* des résultats (Lincoln et Guba, 1985). La question à se poser ici est la suivante : le chercheur prend-il tous les moyens pour s'assurer que l'une et l'autre soient, à tout le moins, d'un niveau acceptable ?

En ce qui a trait à la validité interne, et en simplifiant un peu, la question à se poser est de savoir si c'est uniquement le changement dans le niveau de la variable indépendante qui explique le changement dans le niveau de la variable dépendante. Si les facteurs constituant des menaces à la validité interne d'une recherche sont intervenus ou ne sont pas contrôlés, les résultats perdent inévitablement de leur valeur, parce que le changement observé dans la variable dépendante peut désormais être expliqué autrement que par le seul effet de la variable indépendante. Par exemple, un biais dans la sélection des membres du groupe expérimental et du groupe contrôle ou encore la perte en cours d'expérience de sujets provenant d'un groupe ou d'un autre pourrait faire en sorte que ces groupes ne soient plus équivalents et compromettre ainsi la validité des résultats. Il en sera de même si des événements imprévus surviennent durant le déroulement de la recherche et exercent un impact sur des observations ou autres mesures prises après ces événements. Dans le cas d'une recherche qualitative, la crédibilité des résultats sera augmentée si, notamment, les informations recueillies auprès des participants (par exemple, lors d'entrevues) ont été vérifiées auprès d'eux et même auprès d'autres sources d'information (autres acteurs concernés, documents d'archives, etc.) et que les observations dans le milieu ont été faites sur une période prolongée et dans des conditions optimales.

Quant à la validité externe, elle renvoie à la possibilité de pouvoir généraliser des résultats à des individus ou des situations non inclus dans l'échantillon. Parmi les menaces à la validité externe, en plus des problèmes d'échantillonnage, plusieurs croient que les résultats des études réalisées dans un certain contexte (par exemple, à l'université, avec des étudiants) ne sont pas facilement transférables à un autre contexte (par exemple, en entreprise, avec des gestionnaires). Dans une étude qualitative, le chercheur a avantage à décrire de façon précise (*thick description*, diront les anglophones) le contexte dans lequel elle se déroule (le milieu, les participants, etc.), ce qui aidera le lecteur – et pourquoi pas le chercheur lui-même? – à préciser les conditions de transférabilité des résultats à d'autres contextes; en somme, le lecteur pourra alors voir dans quelle mesure ce contexte est plus ou moins typique ou semblable à d'autres, ce qui rendra possible une certaine forme de généralisation. Ainsi, lorsque l'intérêt d'une recherche qualitative n'est pas d'aboutir à des hypothèses à tester, la généralisation ne repose plus sur la mise au jour de supposées lois de la nature, mais sur des prises de conscience susceptibles d'aider à comprendre d'autres situations uniques[6] (Morgan, 1985) ou sur la construction de typologies ou autres catégorisations fournissant un cadre d'analyse potentiellement utile à d'autres chercheurs ou intervenants (voir, à ce propos, Cossette, 2004).

Les éléments du cadre méthodologique de la recherche sont-ils cohérents avec l'objectif de la recherche et ses fondements théoriques?

Un évaluateur s'attend également à ce que tous les éléments du cadre opératoire soient cohérents avec l'objectif de la recherche et ses fondements théoriques. Ce point est très important étant donné qu'un devis de recherche inadéquat constitue habituellement un « vice majeur » (« *fatal flaw* ») de nature à empêcher la publication de cette recherche. Pour évaluer cette cohérence, on peut d'abord prendre en considération deux grandes dimensions: le caractère déductif ou inductif de la recherche en relation avec l'état de développement plus ou moins avancé des connaissances, et la visée nomothétique ou idiographique de la recherche. Examinons cela attentivement.

Edmondson et McManus (2007) se sont intéressées à la cohérence interne entre les différentes composantes d'un projet de recherche. Selon elles, l'état actuel d'avancement des connaissances dans un champ donné devrait avoir un impact déterminant sur les principaux éléments du devis méthodologique d'une recherche. Ainsi, lorsque la théorie sur un objet de recherche a atteint un stade

---

6.   Pratt (2008) rend bien cette idée en reconnaissant que « [...] une étude en profondeur de n'importe quelle organisation peut conduire à des prises de conscience (*insights*) dans d'autres organisations parce que, à un certain niveau, "elles ont toutes les mêmes organes" » (p. 496).

de développement «avancé», c'est-à-dire un point où les construits et modèles sont déjà bien établis, la recherche visera généralement à tester des hypothèses, ce qui permettra d'apporter des modifications ou des précisions à la théorie existante (p. ex., mettre à l'épreuve cette théorie dans un nouveau contexte, déterminer l'effet d'une variable modératrice sur la relation entre deux autres, faire ressortir l'importance d'une variable médiatrice d'un grand intérêt); le chercheur va alors récolter des données quantitatives qui seront ensuite soumises à des analyses statistiques plus ou moins complexes. Par contre, s'il n'y a à peu près pas de théorie (*nascent theory*) sur le phénomène que le chercheur veut examiner, les recherches exploratoires conviennent très bien et l'approche inductive est à privilégier de façon à mieux comprendre un processus ou un événement particulier; le chercheur fera alors appel à des techniques permettant d'obtenir des données qualitatives donnant lieu à une analyse de contenu et aboutissant fréquemment à la proposition d'un nouveau construit, d'une nouvelle théorie, d'un nouveau modèle ou, plus particulièrement, de nouvelles hypothèses à mettre à l'épreuve. Finalement, si la théorie est dans une phase «intermédiaire», une approche hybride fondée sur la collecte et l'analyse de données quantitatives *et* qualitatives serait très appropriée; par exemple, des entrevues en profondeur pourraient mener à la formulation de nouvelles hypothèses sur un modèle existant et, ensuite, conduire à la préparation d'un questionnaire pour mettre à l'épreuve ces nouvelles hypothèses.

En ce qui a trait à l'autre grande dimension mentionnée plus haut, et en se fondant sur Burrell et Morgan (1979), l'adoption d'une approche nomothétique est normalement considérée comme préférable lorsque la finalité ultime d'une recherche est de pouvoir prédire à partir de la vérification ou du non-rejet d'hypothèses particulières, conformément à ce que suggère une conception objectiviste de la connaissance; le chercheur aura alors tendance à utiliser des outils permettant de recueillir des données quantitatives (par exemple, des questions à évaluation avec des réponses sur une échelle de Likert ou encore des questions à éventail de réponses) et de les analyser à l'aide de statistiques. Par contre, si l'objectif est plutôt de comprendre des situations considérées comme fondamentalement uniques, ce qui sera généralement le cas lorsque le chercheur endosse une conception subjectiviste de la connaissance, l'adoption d'une approche idiographique sera vue comme plus appropriée; le chercheur sera alors porté à privilégier l'emploi de techniques conduisant à l'obtention de données qualitatives, comme l'entrevue en profondeur ou l'observation participante, ainsi qu'à une analyse de contenu des matériaux recueillis.

Bien sûr, il faut éviter de voir dans ces associations (théorie bien développée → recherche déductive → approche nomothétique ; théorie peu développée → recherche inductive → approche idiographique) une logique implacable ou une direction incontournable. Mais le chercheur aura avantage à prendre grand soin de justifier tout écart de ces grandes associations. Par exemple, le chercheur dont le travail viserait à déterminer l'influence d'une variable sur une autre aura fort à faire pour convaincre le lecteur que l'étude de représentations individuelles récoltées auprès de cinq ou six sujets lors d'entrevues en profondeur ou encore l'analyse de données provenant d'un exercice prolongé d'observation participante est une bonne stratégie pour atteindre cet objectif ; mais ce n'est pas une mission impossible.

Le problème de la cohérence à l'intérieur d'une recherche est souvent soulevé lorsque le chercheur fait l'usage de données qualitatives. Pour certains, récolter de telles données ne serait pas vraiment compatible avec l'adoption d'une perspective positiviste ou, plus généralement, objectiviste. Pourtant, si l'on accepte l'idée que le positivisme est une orientation d'ordre épistémologique renvoyant essentiellement à la recherche des lois de la nature, c'est-à-dire des « relations constantes qui existent entre les phénomènes observés » (Comte, 1923, p. 20), donc à la position de « voir pour prévoir » (Comte, 1923, p. 25), alors la mise en place d'une recherche inductive et le recours à des données qualitatives pour « découvrir » des hypothèses qui seront par la suite mises à l'épreuve peuvent certainement s'inscrire dans cette grande orientation. En fait, les données qualitatives figurent le plus souvent dans des recherches exploratoires dont l'intérêt explicitement formulé est d'aboutir à des hypothèses à tester qui, si le chercheur voyait juste, reflèteraient l'état objectif et naturel des choses. En ce sens, les recherches fondées sur l'utilisation de données qualitatives sont généralement descriptives et, surtout, inductives ; elles s'inscrivent alors dans la première phase du modèle classique de production de connaissances qui, dans sa nature même, est objectiviste et positiviste. Gephart (2004), un expert reconnu de la recherche qualitative, affirme d'ailleurs qu'une grande proportion des textes qualitatifs qu'il a évalués pour l'*Academy of Management Journal* révélaient une orientation positiviste, donc tournée vers la quête de vérité et reposant sur une vision ontologique réaliste supposant l'existence d'une réalité objective indépendante des actions de l'être humain. Ajoutons que Lee (2001), qui fut rédacteur en chef de cette revue et qui affirmait être très ouvert à la recherche qualitative, insistait sur la possibilité qu'elle puisse s'inscrire dans une approche inductive ou hypothético-déductive, ce qui témoignait, à mon avis, de l'orientation essentiellement positiviste qu'il privilégiait.

Enfin, on peut se demander si des données obtenues à un niveau particulier (individuel, par exemple) peuvent être utilisées légitimement pour tirer des conclusions à un autre niveau (organisationnel, par exemple). Schneider et Angelmar (1993) se sont intéressés à cette question par rapport à la cognition. Tout en reconnaissant qu'un objet de recherche peut impliquer le passage d'un niveau d'analyse à un autre (p. ex., l'influence de l'individu sur le groupe ou l'organisation, et réciproquement), ils considèrent que la simple agrégation de structures cognitives individuelles pour mettre en relief un schème collectif constitue une démarche très discutable, étant donné qu'elle repose sur l'idée que le tout (par exemple, une vision collective) serait *égal à* (et non *plus que*) la somme de ses parties (par exemple, la vision de plusieurs individus pris séparément). De façon générale, il faut sans doute faire preuve de prudence dans l'utilisation de données provenant d'un niveau d'analyse pour tirer des conclusions à un autre niveau. À titre simplement illustratif, expliquer le rendement d'une entreprise par l'addition des rendements individuels (ou inversement) pourrait soulever un problème de cohérence, comme étudier la stratégie ou la structure d'une entreprise – deux produits collectifs – à partir de données tirées de rencontres individuelles avec quelques acteurs.

Conclusion

Un devis méthodologique de qualité doit reposer sur des informations pertinentes et précises. Il doit également démontrer que le chercheur procède de façon « correcte » sur le plan technique. Finalement, toutes les composantes de l'appareil méthodologique mis en place doivent permettre d'atteindre l'objectif de la recherche, de répondre à ses questions spécifiques ou de mettre à l'épreuve ses hypothèses particulières, tout en étant cohérentes avec les fondements théoriques de la recherche, en particulier avec son orientation épistémologique.

La fabrication du cadre méthodologique d'une recherche constitue une des étapes cruciales (comme toutes les autres ?!) d'une recherche. Comme il sera vraisemblablement trop tard après ce moment pour apporter des changements à ce qui pourrait être considéré comme des vices majeurs de la recherche, le chercheur prévoyant devrait s'efforcer d'obtenir une rétroaction sur son travail *avant* la collecte des données (Rynes *et al.*, 2005 ; Schminke, 2004). C'est d'ailleurs ce que doit généralement faire tout étudiant de doctorat lorsqu'il présente son projet de thèse. Il n'est peut-être pas mauvais non plus de se rappeler qu'il est plus facile de demander et d'obtenir des commentaires sur une partie d'un texte (par exemple, sur l'introduction ou le cadre méthodologique) que sur son ensemble (Huff, 1999).

P résenter très clairement
les résultats de la recherche et
les analyser rigoureusement
à l'aide de techniques
appropriées.

Les résultats d'une recherche constituent le plat de résistance que certains chercheurs attendent parfois avec une grande fébrilité. Mais contrairement à ce qu'on pourrait croire, la présentation et l'analyse de ces résultats n'occupent pas toujours beaucoup d'espace dans un article[1] – fréquemment trois pages ou un peu moins dans les articles quantitatifs parus dans l'*Academy of Management Journal* –, les tableaux ou figures en couvrant souvent près de la moitié. Dans le cas d'une recherche qualitative, la partie portant sur les résultats de la recherche est généralement plus longue et structurée d'une manière plus difficilement prévisible.

Dans une recherche hypothético-déductive, la catégorie encore dominante, les résultats de la mise à l'épreuve des différentes hypothèses sont habituellement consignés à l'intérieur d'une seule section, souvent sans qu'il y ait de sous-sections. On y trouve normalement quelques statistiques descriptives (moyennes, écarts-types, etc.) suivies du résultat des analyses réalisées à l'aide de statistiques inférentielles ou explicatives plus ou moins sophistiquées, comme l'analyse de régression ou l'analyse de variance ; l'utilisation de ces statistiques plutôt que d'autres est ordinairement justifiée par le chercheur. Le résultat de ces analyses indique dans quelle mesure chacune des hypothèses posées au départ est soutenue. Au besoin, le chercheur apporte les précisions qui s'imposent.

Dans le cas d'une recherche qualitative, c'est un peu plus complexe et la démarche est, en apparence du moins, plus désordonnée. L'organisation de la présentation et de l'analyse des résultats varie considérablement d'une recherche à l'autre et représente un défi beaucoup plus grand pour le chercheur que s'il travaillait avec des données quantitatives. Cela s'explique, en partie, par le fait que l'analyse de données qualitatives donne souvent lieu à une nouvelle collecte de données qui, à son tour, conduit à une analyse qui oriente encore la collecte d'autres données, et ainsi de suite.

Plusieurs approches peuvent être privilégiées lors de l'analyse de données qualitatives. La plupart d'entre elles impliquent la mise en évidence de thèmes, d'idées ou de configurations importantes ou particulières au moyen d'une analyse de contenu, ou encore la construction plus ou moins progressive de catégories et sous-catégories à partir des matériaux de la recherche. Parfois, bien que plus rarement, la démarche empruntée suit plutôt une logique déductive : les catégories et sous-catégories sont proposées dès le début dans la présentation

---

1. Ce sera très différent dans le cas d'une thèse ou d'un mémoire. C'est peut-être ce qui les distingue le plus d'un article.

des fondements théoriques de la recherche et les données qualitatives recueillies sont placées dans l'une ou l'autre d'entre elles, ce qui met ainsi à l'épreuve ces catégories et sous-catégories.

Que ce soit dans une recherche quantitative ou, dans une moindre mesure, dans une recherche qualitative, les résultats *présentés* et *analysés* sont rarement *discutés* dans cette importante section portant sur les résultats. Cela aide à comprendre pourquoi on n'y trouve pas – ou très peu – de références à d'autres travaux de recherche, à de rares exceptions près. La discussion des résultats prend généralement place dans une autre section suivant immédiatement celle portant sur leur présentation ou leur analyse; il en sera question lors du traitement de la règle n° 5.

Quand on examine les résultats d'une recherche, il y a plusieurs questions qu'on peut se poser. En voici quelques-unes.

Les résultats sont-ils présentés clairement?

Dans la majorité des textes empiriques, on trouve des tableaux et des figures qui présentent de manière synthétique les données recueillies ou les résultats des analyses. Fréquemment, ces tableaux et figures donnent déjà à eux seuls un très bon aperçu des principaux résultats de la recherche. S'ils ne sont pas attrayants ni faciles à examiner ou à comprendre, s'ils n'ont pas un titre clair et représentatif de leur contenu, s'ils ne sont pas suffisamment détaillés ou s'ils le sont trop, s'ils contiennent des informations non pertinentes ou, ce qui serait encore plus grave, s'ils renferment des erreurs (par exemple, de compilation ou de calcul), le lecteur sera peut-être porté à «décrocher»...

Si la recherche est qualitative, la présentation et l'analyse des résultats ne sont habituellement pas abordées de façon aussi séparée et séquentielle que dans une recherche quantitative. Étant donné que le chercheur engagé dans une telle recherche est fréquemment enseveli sous une masse de données, certaines ayant parfois été recueillies après une ou plusieurs analyses, il se trouve confronté à la tâche colossale de mettre de l'ordre dans tous ces matériaux afin de rendre intelligibles les résultats de sa recherche. Il est donc important qu'il explique très précisément et sans ambiguïté comment il a procédé pour y arriver. Entre autres problèmes possibles, Gephart (2004) note que plusieurs ont tendance à trop mettre l'accent sur la présentation des données

– on peut penser ici à la surabondance de citations intégrales attribuées à ceux qui ont participé à la recherche – et à négliger leur analyse ou leur interprétation ; l'inverse est également possible, comme l'a montré Pratt (2008).

En ce qui concerne les citations intégrales, elles sont souvent très pertinentes, parce qu'elles permettent de marquer un point avec beaucoup de vigueur, notamment lorsque le passage cité révèle un sens de la formule particulier à son auteur. Mais le chercheur ne doit pas en abuser. Un trop grand nombre de citations intégrales peut donner l'impression que l'auteur d'un texte ne l'est plus vraiment, comme si son texte n'était qu'une présentation de ce que les autres ont dit. Les citations très longues sont également à éviter, non seulement parce qu'elles risquent beaucoup de ne pas être lues entièrement, mais aussi parce qu'elles peuvent distraire le lecteur qui ne doit pas perdre de vue le fil conducteur du texte.

Les données brutes ou transformées sont-elles analysées à l'aide de techniques (statistiques ou non) appropriées ?

Cette question renvoie essentiellement à la compétence du chercheur sur le plan technique : utilise-t-il les outils appropriés pour analyser les données quantitatives ou qualitatives qu'il a recueillies, et est-il capable de les employer correctement ? Par exemple, fait-il appel à des statistiques qui conviennent aux caractéristiques de l'échantillon de sa recherche (en particulier sa taille et la façon dont il a été déterminé) et au type de variables étudiées (ordinales, nominales, etc.)[2] ? A-t-il recours à un logiciel d'analyse de données qualitatives (ATLAS/ti, NUD•IST, etc.) lorsque cet outil peut vraiment l'aider à enrichir son analyse des matériaux, et l'emploie-t-il comme il se doit ?

---

2.   Pour une introduction aux conditions d'application de nombreux tests paramétriques et non paramétriques, voir Mbengue (2003).

Les résultats sont-ils intimement liés à l'objectif de la recherche, à ses hypothèses ou à ses questions spécifiques?

Souvent, les résultats les plus généraux ou centraux sont présentés en premier, ne serait-ce que pour aider le lecteur à bien s'y retrouver. Ils doivent être étroitement associés à l'objectif fondamental de la recherche ou à ses hypothèses ou questions spécifiques. Il serait assurément déroutant pour le lecteur de trouver dans cette partie des données ou des analyses qui ne leur seraient pas directement reliées. Parmi les problèmes susceptibles d'être rencontrés, on devine également qu'il serait inacceptable qu'une des hypothèses ou questions particulières formulées au départ ait été «oubliée» ou n'ait pas fait l'objet d'un traitement adéquat.

Dans des recherches qualitatives, il y a souvent tellement de données à examiner qu'il y a danger que le chercheur (et éventuellement le lecteur...) perde de vue l'objectif de la recherche ou les questions spécifiques auxquelles elle devait répondre. Cela ne fait qu'ajouter à l'importance de bien structurer la présentation et l'analyse des résultats.

Les résultats sont-ils interprétés adéquatement?

Lorsque des statistiques sont utilisées, la signification précise donnée aux résultats obtenus doit être sans équivoque et techniquement correcte. Par exemple, dans quelle mesure les résultats de l'analyse statistique viennent-ils appuyer les hypothèses posées au départ? Le cas échéant, le chercheur met-il des bémols là où il en faut?

Le problème se pose un peu différemment quand nous sommes en présence d'une recherche qualitative, principalement parce qu'il y a plusieurs modèles d'analyse de données qualitatives, notamment en fonction de l'approche particulière adoptée (ethnologie, théorie enracinée, étude de cas, etc.). Mais dans tous les cas, l'interprétation des résultats doit être solidement appuyée sur les matériaux recueillis et analysés. Une interprétation infondée ne peut pas être convaincante.

Un des meilleurs exemples d'analyse qualitative que j'ai rencontré est celui tiré de la recherche inductive et ethnographique de Gioia et Chittipeddi publiée dans le *Strategic Management Journal* en

1991. Cette étude portait sur l'initiation d'un changement stratégique dans une grande université américaine. Les auteurs commencent par distinguer clairement deux niveaux d'analyse. Au premier niveau herméneutique, le chercheur s'efforce de rendre compte du vécu ou de l'expérience des participants, c'est-à-dire de leur manière de voir et d'interpréter la réalité ; lors de cette étape essentiellement descriptive, le chercheur doit tout de même bien organiser la présentation de ses observations en faisant ressortir le plus fidèlement possible les thèmes dominants tirés du vécu des participants qui se rapportent à l'objet de la recherche (le changement stratégique, dans ce cas particulier). Puis, en se plaçant au deuxième niveau herméneutique, le chercheur devient plus «théorique» et suggère un cadre explicatif ou des construits susceptibles d'être pertinents dans d'autres contextes, situations ou circonstances. Dans le cas évoqué, les auteurs ont proposé les concepts de «fabrication de sens» (*sensemaking*) et de «transmission de sens» (*sensegiving*) en insistant sur les liens entre les deux. Un tel exercice demande un effort de théorisation absolument essentiel pour qu'il puisse y avoir contribution théorique, effort qu'on ne trouve malheureusement pas dans de nombreux travaux de recherche qualitative.

Conclusion

Schminke (2004), qui fut rédacteur en chef de la revue *Academy of Management Journal*, affirme ne pas se rappeler un seul évaluateur qui aurait recommandé de refuser un manuscrit à cause des choix de son auteur touchant l'analyse des résultats. Selon lui, ces choix peuvent toujours être modifiés, y compris au moment du processus de révision, et ne révèlent à peu près jamais un vice majeur, c'est-à-dire un problème irréparable. Cela ne devrait toutefois pas faire oublier que c'est d'abord dans les résultats d'une recherche que réside sa contribution.

Discuter de manière approfondie
de l'apport théorique des
résultats et de ses implications,
sans oublier de faire état
des limites de la recherche.

Après la présentation et l'analyse des résultats suit habituellement une partie titrée «Discussion» ou «Discussion et conclusion». Le chercheur commence fréquemment cette partie en rappelant l'objectif de la recherche et en présentant une courte synthèse de ses résultats, tout en s'efforçant d'être le plus original possible, c'est-à-dire sans trop répéter ce qu'il a dit précédemment. Il discute ensuite des résultats obtenus en insistant sur la contribution théorique qu'ils apportent, sur les implications théoriques et pratiques qui en découlent, ainsi que sur l'impact des limites de la recherche sur l'interprétation et les suites à donner à ces résultats. Ces différents aspects ne sont pas toujours traités séquentiellement et ne le sont pas nécessairement à l'intérieur de sous-sections particulières. Voyons brièvement à quoi chacun de ces trois éléments de la discussion renvoie exactement.

■ L'APPORT THÉORIQUE

Le chercheur s'efforce ici de mettre en évidence la contribution théorique de sa recherche, c'est-à-dire la valeur ajoutée contenue dans ses résultats. Que nous ont-ils appris exactement? Dans cette section, le chercheur décrit, commente ou interprète les résultats obtenus, surtout à la lumière des écrits actuels sur l'objet de sa recherche, ce qui permet de mieux apprécier leur apport théorique. Très précisément, le chercheur explique pourquoi ces résultats sont étonnants lorsqu'il les compare à ceux d'autres recherches ou ce qu'ils apportent de particulier s'ils vont dans le même sens que ceux des recherches antérieures.

■ LES IMPLICATIONS

Le chercheur discute également des retombées de sa recherche, c'est-à-dire de l'impact de l'apport théorique de ses résultats. Son objectif devient alors d'en dégager des implications[1] ou conséquences, à la fois sur le plan théorique et sur le plan managérial. Dans le premier cas, le chercheur montre essentiellement que les résultats de sa recherche suggèrent de nouvelles idées d'ordre théorique, c'est-à-dire de nouvelles façons de voir les choses; ce qui l'amène, par exemple, à proposer de nouveaux construits (particulièrement dans le cas de recherches qualitatives) ou de nouvelles hypothèses à propos de l'existence d'un lien entre telle variable et telle autre, ou même d'avancer un nouveau

---

1.   La discussion sur l'apport théorique d'une recherche n'est pas toujours clairement distinguée de celle portant sur les implications de cet apport théorique, bien qu'il y ait là, à mon avis, deux choses différentes.

modèle ou une nouvelle théorie sur l'objet de la recherche. Le plus souvent, cette discussion sur les implications théoriques des résultats de la recherche débouche sur la présentation très précise de voies de recherche à emprunter, le chercheur proposant alors de nouveaux objectifs de recherche à poursuivre, de nouvelles questions de recherche à poser ou de nouvelles hypothèses à mettre à l'épreuve.

Quant aux implications de l'apport théorique des résultats sur le plan managérial, elles portent sur les actions ou interventions que la contribution théorique suggère aux gestionnaires ou autres acteurs de l'organisation, à court terme ou non. C'est là qu'on peut constater avec une acuité particulière le lien très étroit entre la théorie et la pratique. Si l'on accepte l'idée que derrière toute pratique il y a inévitablement une théorie, alors l'apport théorique d'une recherche en gestion ou dans tout autre domaine professionnel devrait normalement avoir des conséquences sur cette pratique, que ce soit dans l'immédiat ou à plus long terme. C'est au chercheur de les rendre explicites.

▍ LES LIMITES

Toute recherche a nécessairement ses limites, lesquelles invitent à la prudence dans l'interprétation de ses résultats et dans les suites à lui donner. Le chercheur en parle généralement vers la fin de son texte. Certaines de ces limites sont forcément liées aux décisions d'ordre théorique et méthodologique prises légitimement par le chercheur. Par exemple, la façon dont le chercheur a choisi de définir et de mesurer les concepts ou variables de sa recherche a très possiblement eu beaucoup d'impact sur les résultats. Ce type de limite précise en quelque sorte les conditions ou «frontières» à l'intérieur desquelles les résultats peuvent être considérés comme fiables ou valables

Dans la plupart des articles de recherche, le chercheur rend également compte et discute de facteurs qui auraient pu exercer un impact négatif sur la validité interne ou externe des résultats (ou sur leur crédibilité et leur transférabilité, dans le cas de recherches qualitatives). Ces limites peuvent être associées aux caractéristiques des participants eux-mêmes (p. ex., des étudiants de MBA pour étudier la réalité des gestionnaires) ou à la façon de les recruter (p. ex., à l'intérieur de cours, où chacun peut difficilement refuser de participer à la recherche). D'autres peuvent carrément provenir d'erreurs faites par le chercheur, notamment lors de la conception du devis de la recherche ou de son implantation, ou encore de problèmes imprévus (p. ex., taux de réponse extrêmement faible) qui seraient survenus au cours du déroulement de la recherche. Ces limites sont généralement perçues comme plus graves, parce qu'elles désignent des faiblesses de la recherche.

Il y a plusieurs questions que le chercheur devrait se poser lorsqu'il présente l'apport théorique des résultats de sa recherche, ses implications et ses limites l'incitant à circonscrire ou à relativiser cette contribution théorique. En voici quelques-unes.

L'apport théorique de la recherche est-il très explicite, justifié et discuté de manière approfondie ?

Le chercheur doit être très clair à propos de ce que les résultats de sa recherche nous apprennent sur le plan théorique. Et ses conclusions quant à la nature et à l'ampleur de cet apport théorique de sa recherche doivent s'appuyer fermement sur les données recueillies et les analyses effectuées. Elles doivent donc être pleinement justifiées.

Le chercheur doit également positionner aussi précisément que possible cette contribution théorique parmi les écrits actuels. En d'autres termes, il doit la décrire de manière approfondie en faisant appel aux résultats des travaux antérieurs sur le même objet de recherche.

Les implications théoriques et managériales découlant de l'apport théorique de la recherche sont-elles discutées de façon détaillée et appropriée ?

Autant il était important que l'apport théorique de la recherche soit bien justifié par les résultats obtenus, autant il est essentiel que les implications de cet apport théorique lui soient très étroitement associées, c'est-à-dire qu'elles en découlent logiquement. Le chercheur doit donc éviter d'exagérer la portée de ses résultats ou ses retombées sur le plan théorique ou pratique. Si les excès d'enthousiasme sont généralement compréhensibles, ils sont aussi à proscrire.

La question à laquelle le chercheur doit ici répondre est aussi claire que difficile : quelles sont les conséquences de l'apport théorique de la recherche tant pour le développement des connaissances que pour la gestion très concrète des organisations ? Dit autrement, le chercheur doit montrer en quoi les résultats de sa recherche peuvent être considérés comme intéressants à la fois pour les producteurs de connaissances et pour les praticiens.

Dans cette discussion sur les retombées de la recherche ou, plus précisément, de son apport théorique, le chercheur doit d'abord faire ressortir de façon convaincante les implications qu'on peut en tirer pour le développement des connaissances. Par exemple, quel *nouveau construit*, quelle *nouvelle classification* ou quelle *nouvelle théorie* l'apport théorique de la recherche suggère-t-il? De façon encore plus spécifique, le chercheur montre-t-il de *nouvelles pistes* que les résultats de sa recherche permettent d'ouvrir?

Trop souvent, le chercheur ne fait qu'évoquer ces voies de recherche, sans les discuter vraiment. Ou, ce qui n'est guère mieux, il ne fait qu'envisager des voies de recherche très générales et sans lien véritable avec les résultats de sa propre recherche, des directions auxquelles il aurait très bien pu songer sans avoir vu les résultats de sa recherche. Ou encore il se contente d'affirmer qu'on devrait refaire la même recherche dans un autre contexte, une implication théorique évidente et sans grand intérêt. En agissant ainsi, le chercheur rate une excellente occasion de mettre en valeur l'apport théorique de sa recherche; ce que ne manquera pas de noter un éventuel évaluateur de son travail. Comment pourrait-il encenser un travail auquel le chercheur lui-même se montre incapable d'imaginer des suites intéressantes sur le plan théorique?

Quant aux implications managériales, Rynes *et al.* (2005) insistent sur l'importance d'en discuter. Selon eux, le chercheur doit se demander ce qu'un gestionnaire devrait faire différemment après avoir pris connaissance des résultats de sa recherche, et présenter les implications possibles de son travail pour les gestionnaires d'aujourd'hui ou de demain.

Les limites de la recherche sont-elles exposées clairement, sans une insistance démesurée sur ses faiblesses?

Comme je le mentionnais précédemment, les limites d'une recherche peuvent désigner les conditions ou frontières à l'intérieur desquelles les résultats s'appliquent, ou encore les faiblesses de cette recherche, en particulier celles de son cadre méthodologique. Le chercheur ne peut ignorer ni les premières ni les secondes. Les reconnaître démontre qu'il en est bien conscient, ce qui lui donne l'occasion de relativiser leur impact sur la valeur de la recherche.

Les limites représentant des frontières sont inévitables et, au fond, ne viennent que «contextualiser» l'apport théorique de la recherche. Comme nous le rappelle très bien Whetten (1989), les «qui», «où», et «quand» de la recherche renvoient à des facteurs contextuels qui restreignent la généralisation de ses résultats. Ainsi, le fait qu'une recherche se déroule avec des participants provenant d'une population donnée (p. ex., propriétaires-dirigeants de PME de telle région), dans un lieu particulier (pays, type d'organisation, etc.) et à un certain moment (par ex., en période de crise économique) est susceptible de tracer des limites à la généralisation des résultats. Le chercheur doit se demander dans quelle mesure ces facteurs posent des balises importantes à l'interprétation et à la portée des résultats de sa recherche, ce qui peut même l'amener à envisager de nouvelles voies de recherche fondées sur ces limites. Kalnins (2007) reconnaît d'ailleurs qu'on peut interpréter de multiples façons l'existence d'une relation empirique établie dans une recherche entre diverses variables, mais affirme aussi qu'il est préférable d'aller recueillir de nouvelles données avant de donner trop de poids à une explication plutôt qu'à une autre, notamment parce que cette relation empirique pourrait bien être fortement tributaire de la procédure d'échantillonnage.

Quant aux limites témoignant des faiblesses de la recherche (erreurs du chercheur, déplorables imprévus, etc.), on comprendra qu'elles ont avantage à ne pas être trop nombreuses, étant donné qu'elles nuisent à la validité interne, ou crédibilité, de la recherche, ou encore à la validité externe, ou transférabilité, de ses résultats. On devine aussi que le chercheur ne gagnera rien à insister sur ce qui enlève de la valeur à sa recherche. Il n'a pas à s'acharner contre lui-même ni à transformer cette présentation des limites de sa recherche en exercice d'autoflagellation. Il doit plutôt s'efforcer de montrer que sa recherche est encore valable malgré toutes ses limites.

Conclusion

La discussion des résultats d'une recherche vise essentiellement à mettre en valeur son apport théorique et ses conséquences sur le développement des connaissances et sur la gestion des organisations. Entre autres, elle doit indiquer sans ambiguïté quelle(s) direction(s) pourrait prendre la conversation savante à la suite de cette contribution théorique. On a également vu que les limites de la recherche doivent être présentées, ne serait-ce que pour bien cerner les frontières à l'intérieur desquelles l'apport théorique est le plus facile à soutenir.

La discussion des résultats ne reçoit pas toujours toute l'attention qu'elle mérite. Comme elle est très liée à la contribution de la recherche sur le plan théorique, il n'est pas surprenant qu'elle soit habituellement beaucoup plus approfondie dans les articles publiés dans des revues savantes de très haut niveau. Au moment où son travail s'achève, le chercheur devrait trouver la force de puiser aussi loin que possible dans ce qui lui reste d'énergie pour convaincre l'éventuel lecteur de l'importante valeur ajoutée que sa recherche apporte sur le plan théorique. S'il y croit, bien entendu.

Attribuer au texte
un titre accrocheur
et construire un résumé
représentatif de son contenu.

Tout article paraissant dans une revue savante comporte un titre et un résumé (*abstract*). La longueur du titre dépasse rarement une douzaine de mots et celle du résumé, variable en fonction des exigences de la revue, est généralement de 100 à 150 mots. Parfois, quelques mots clés – généralement cinq ou moins – accompagnent le résumé d'un article. Toutes ces informations sont répertoriées dans des bases de données, telles que ABI/Inform Global, Business Source Complete, PsycINFO et, en français, Repère.

Conformément à la perspective privilégiée ici et présentée dans l'introduction du livre, le chercheur est essentiellement un vendeur qui doit convaincre le rédacteur en chef d'une revue, les évaluateurs choisis par ce dernier et, éventuellement, les chercheurs intéressés, de la valeur de son travail. Pour y arriver, il ne peut négliger ni le fond ni la forme, y compris dans l'attribution d'un titre à son texte et dans la construction d'un résumé rendant compte de son contenu. Cependant, il existe peu d'écrits portant sur les caractéristiques du titre ou du résumé idéals d'un texte destiné à une revue savante. Huff (1999) fait partie des rares chercheurs à s'être intéressés à ce sujet, y consacrant même tout un chapitre (p. 67-75) de son ouvrage.

L'importance du titre et du résumé d'un article de recherche actuel ou éventuel ne fait pas de doute. Ainsi, comme rédacteur en chef de la revue *Academy of Management Review*, Kilduff (2006) notait que le chercheur devait accorder beaucoup d'attention à la préparation du résumé, surtout depuis que la soumission d'un manuscrit se fait par voie électronique, parce que c'est d'abord par le résumé que les évaluateurs prennent contact avec le manuscrit. De façon encore plus générale, ce sera souvent en examinant le titre et le résumé d'un article qu'un chercheur décidera d'en faire la lecture ou non. Par ailleurs, étant donné que les mots contenus dans le titre et le résumé serviront à indexer le texte dans différentes bases de données, le chercheur doit leur apporter un soin particulier en se rappelant que c'est à partir d'eux que d'autres chercheurs pourront repérer l'article dans les bases de données.

Tout en m'appuyant sur les propos de Huff (1999 ; voir aussi Bem, 2003), il me semble qu'on peut se poser au moins les deux grandes questions suivantes quant aux caractéristiques souhaitables d'un titre et d'un résumé : le titre est-il « accrocheur » et le résumé est-il représentatif du contenu du texte ? Examinons ces deux questions de près.

Le titre est-il accrocheur?

Le lecteur n'est jamais un poisson, mais le titre doit toujours être un hameçon. Il n'a pas à être terriblement percutant, mais il doit donner au lecteur le goût de lire le texte. Règle générale, un bon titre possède les caractéristiques suivantes.

IL EST COURT

Un titre court a plus de chances de capter l'attention. Peut-être pour y intégrer plus d'idées, tout en restreignant leur formulation à très peu de mots, certains chercheurs séparent le titre en deux parties reliées par le deux-points ou même par un point d'interrogation. Il arrive aussi que tout le titre prenne la forme d'une brève question.

IL EST PRÉCIS

Un titre trop général ou sans lien avec l'objectif ou la contribution de la recherche est à éviter. Le plus souvent, on s'attend à ce que le titre contienne quelques-uns des mots clés de la recherche.

IL EST CLAIR

Un titre qui serait parfaitement incompréhensible sans avoir lu le texte ne donnerait guère envie d'en faire la lecture. C'est ce qui peut se produire, notamment, lorsque le titre est rédigé sur un ton humoristique ou métaphorique, un style à employer avec énormément de précaution dans le cas d'un texte destiné à une revue savante. À cet égard, je signale tout de même que Starbuck (1999) suggère d'utiliser des titres un peu mystérieux (*intriguing*), tant pour l'ensemble du texte que pour ses sections.

IL INTERPELLE CEUX À QUI LE TEXTE S'ADRESSE

Voilà un point sur lequel Huff (1999) insiste. Tant le titre que le résumé devraient à la fois inciter certains chercheurs à lire tout le texte et suggérer à d'autres de ne pas le faire. En fait, après en avoir pris connaissance, un chercheur devrait pouvoir déterminer assez facilement si le texte est intéressant pour lui, c'est-à-dire s'il vaut la peine d'être lu compte tenu principalement de l'objet de ses propres recherches. C'est comme si le chercheur-auteur parvenait implicitement à cibler les chercheurs-lecteurs visés, uniquement par le titre qu'il donne à son texte et le résumé qu'il construit.

Le résumé est-il représentatif du contenu du texte ?

Le défi auquel le chercheur fait face est de taille. En une centaine de mots, il doit rendre compte fidèlement du contenu de tout l'article, en sachant que ses propos peuvent avoir une influence déterminante sur la décision d'un autre chercheur de lire ou non cet article. Dans tous les cas, le lecteur devrait être capable de comprendre le contenu d'un résumé sans avoir besoin de lire le texte.

Très explicitement, un résumé devrait faire état de l'objectif de la recherche et de la problématique qui lui est sous-jacente, des éléments les plus importants des fondements théoriques de cette recherche et de son cadre méthodologique, ainsi que des principaux résultats obtenus et des implications ou conclusions qu'on peut en tirer. Si le résumé ne donne pas un aperçu très clair de la recherche et, très important, s'il ne réussit pas à soulever de l'intérêt et même un certain enthousiasme chez le lecteur, ça part mal…

Conclusion

J'ai souvent eu l'impression que la préparation du résumé de nombreux articles (et, parfois, l'attribution d'un titre à ces textes) avait été faite à la hâte, y compris dans des articles parus dans de bonnes revues. Comme le chercheur ne compose son résumé qu'une fois qu'il a terminé l'écriture du texte rendant compte de sa recherche, il est possible qu'il n'ait plus vraiment le goût de consacrer beaucoup d'énergie à cette tâche, ce qui expliquerait la pauvreté de certains résumés. Le titre et le résumé sont pourtant des composantes importantes d'un texte. Ces deux éléments devraient notamment permettre au lecteur d'apprécier en quelques secondes la contribution fondamentale d'une recherche. L'un et l'autre ne devraient-ils pas rendre justice à tout le travail accompli ?

C iter uniquement les travaux
pertinents et publiés
dans des documents
crédibles, tout en attribuant
les idées rapportées aux
auteurs qui en méritent la
paternité.

Dans un article de recherche, le chercheur ne peut pas faire abstraction de la littérature savante déjà produite. Il doit absolument lier ce qu'il fait, pourquoi il le fait, comment il le fait, etc., à ce qui a été écrit sur son sujet dans un passé plus ou moins lointain. La citation de travaux antérieurs constitue donc une pratique extrêmement importante, mais beaucoup plus difficile à maîtriser que plusieurs ne le croient.

Citer un travail, c'est reconnaître la contribution de son auteur à l'évolution de sa propre pensée et à l'avènement d'un nouveau travail de recherche. C'est comme si le chercheur indiquait précisément comment il met au service de sa recherche les travaux réalisés antérieurement. Il s'agit non seulement d'un geste d'humilité, comme le notait judicieusement Merton (1957) il y a longtemps, mais également d'une preuve d'honnêteté, sans oublier que ce devoir de citation donne au chercheur l'occasion de démontrer qu'il a bien suivi jusqu'à maintenant la conversation savante sur l'objet de sa recherche (Cossette, 2004).

L'usage que les chercheurs font des travaux déjà publiés varie beaucoup d'un article à l'autre, ainsi qu'à l'intérieur d'un même article. Récemment, Partington et Jenkins (2007) ont proposé un cadre de référence montrant la diversité des raisons amenant les chercheurs à citer des travaux. Dans une étude inductive qu'ils ont réalisée sur six articles tirés de revues dominantes en gestion, ils ont déterminé l'objectif de l'auteur de chacun de ces textes à chaque fois qu'il citait un travail, en indiquant bien dans quelle section de son texte il le faisait : celle sur les fondements théoriques (T) de la recherche, celle sur son cadre méthodologique (M) ou celle sur ses résultats et leur discussion (R). Très concrètement, les principaux objectifs des chercheurs lorsqu'ils citaient des travaux étaient ceux figurant dans le tableau 1.

Bref, la recherche de Partington et Jenkins (2007) a bien mis en évidence la grande diversité des objectifs des citations. Elle a aussi montré que ces raisons pour citer des travaux antérieurs variaient d'une section à l'autre dans un article. On peut également constater que les verbes associés à ces objectifs ou raisons présentés dans le tableau 1 laissent clairement voir que l'utilisation de la citation s'inscrit dans une logique d'argumentation visant à convaincre[1].

---

1.   Le lecteur intéressé aurait aussi avantage à examiner les règles de citation proposées par Campion (1997) à la suite d'une vaste enquête à laquelle environ 300 des 450 évaluateurs contactés ont participé. Elles apportent des précisions que certains chercheurs pourraient trouver utiles.

TABLEAU 1

Principales raisons pour citer des travaux déjà publiés

- Reconnaître (*acknowledge*) l'origine d'une idée, d'un concept, d'une approche, d'un instrument de mesure (sections T et M).

- Montrer (*establish*) les limites des travaux actuels ou des méthodes employées pour les réaliser (sections T et M).

- Préconiser (*advocate*) l'utilisation d'une théorie, d'un concept, d'une approche, d'une perspective, d'un instrument de mesure, d'un contexte, d'une procédure (sections T et M).

- Fournir de nouvelles sources d'information ou de nouvelles références (*inform*) sur une théorie, une méthode, une approche (sections T et M).

- Affirmer (*claim*) que les résultats obtenus vont ou non dans le même sens que ceux des travaux précédents, qu'ils contribuent au développement des connaissances, qu'ils ont telle ou telle implication sur le plan théorique ou managérial (section R).

Source : Adapté de Partington et Jenkins, 2007, p. 404.

On peut maintenant se demander quelles sont les principales questions à se poser quant à la citation. Si le chercheur ne les prenait pas vraiment en considération, il y a fort à parier qu'un évaluateur de son manuscrit le lui reprocherait, avec les conséquences qu'on peut anticiper... Voici celles qui me paraissent prioritaires.

Les travaux cités sont-ils pertinents ?

Mentionnons d'abord que la contribution d'un travail cité doit normalement être substantielle. Par exemple, on n'attribue pas à un auteur une idée qu'il n'a fait qu'évoquer brièvement dans un texte, c'est-à-dire sans l'avoir mis au cœur de sa recherche ni l'avoir discutée d'une manière originale ou approfondie. En d'autres mots, un travail ne peut pas être pertinent s'il n'a pas un certain « poids » intellectuel.

Pour construire un projet de recherche et écrire le texte qui rend compte de sa réalisation, le chercheur doit donc faire appel à des travaux assez « lourds », mais qui doivent également enrichir sa propre recherche. De façon plus précise, les travaux cités sont pertinents s'ils aident à problématiser l'objectif général de la recherche, les questions spécifiques auxquelles elle entend répondre ou les hypothèses qu'elle veut mettre à l'épreuve. Ils le seront aussi s'ils sont étroitement liés à son appareil théorique, conceptuel ou épistémologique, à son cadre méthodologique ou encore à la discussion des résultats. Seuls les travaux pertinents ont leur place dans un article de recherche et le chercheur doit les traiter de façon telle que leur pertinence soit bien mise en valeur.

Il serait donc inacceptable de citer ou de ne pas citer le travail de quelqu'un pour des raisons autres que la pertinence de ce travail, en présumant évidemment qu'il est de qualité. Par exemple, la relation personnelle ou professionnelle du chercheur avec l'auteur d'un texte, sa notoriété particulière, l'espoir d'être cité à son tour par cet auteur ou encore le fait que les résultats d'une recherche aillent ou non dans le sens des idées défendues par le chercheur, sont des facteurs qui ne devraient pas intervenir dans la décision de citer ou de ne pas citer le travail de quelqu'un d'autre. Cela ne doit pas faire oublier, comme le souligne Latour (1987, p. 54), que «[...] de nombreuses références peuvent être citées hors de propos ou être fausses [ou] pour faire de la figuration ou pour intimider [ou] par habitude parce qu'elles sont toujours présentes dans les articles de l'auteur, quel que soit son argument, et qu'elles marquent donc son affiliation, le groupe de scientifiques auquel il se rattache».

Il faut aussi être bien conscient du danger possible d'un «biais de citation». Par exemple, selon Christensen-Szalanski et Beach (1984), les articles montrant que les participants placés en contexte de prise de décision se comportaient de façon plutôt irrationnelle (*poor performance*) seraient cités plus fréquemment que ceux indiquant que les participants agissaient de façon plutôt rationnelle (*good performance*). Pourtant, il serait étonnant que les premiers articles puissent être considérés comme plus pertinents que les seconds lors de l'examen de la littérature touchant l'objet de la recherche.

Par ailleurs, il faut noter que la pertinence des citations dans un article empirique n'a rien à voir avec leur nombre. Une bibliographie ne contenant que des références pertinentes peut légitimement être très imposante ou ne pas l'être du tout, et certains textes très pertinents peuvent ne pas y figurer. Cependant, comme le reconnaît très bien Forgues (2003), de nombreux chercheurs ont tendance à citer *trop* de travaux, certains n'apportant qu'une contribution très marginale à leur recherche, ce qui peut faire «[...] perdre de la force à l'argument principal, qui se trouve noyé sous une masse d'informations mineures» (p. 487). Bien que citer une longue liste de travaux puisse être un procédé rhétorique très valable pour faire ressortir tout l'intérêt accordé à un objet de recherche ou mettre en évidence l'existence d'un fort consensus sur une position théorique particulière (Locke et Golden-Biddle, 1997), cela ne contribue souvent qu'à faire enfler démesurément une bibliographie par des textes périphériques. On repère habituellement ces abus dans la section sur les fondements théoriques de la recherche. Parfois, comme le soutiennent Sutton et Staw (1995), une surabondance de références ne sert qu'à camoufler une absence de théorie, une stratégie que chacun de ces deux auteurs reconnaissait avoir déjà utilisée dans le passé pour cacher le fait qu'il ne comprenait pas très bien le phénomène étudié.

Finalement, que penser de la citation de ses propres travaux de recherche? La règle est la même : s'ils sont pertinents, c'est-à-dire s'ils contribuent de manière significative à l'élaboration de l'une ou l'autre des parties d'une recherche, alors ils *doivent* être cités. Je ne surprendrai personne en affirmant que l'autocitation fait parfois l'objet de moqueries dans les corridors de nombreux établissements universitaires, surtout lorsque la contribution des textes cités est vraiment minime ou que les textes en question proviennent de documents peu crédibles, ce dont il sera question dans la prochaine section. Par ailleurs, si le chercheur tirait une idée importante d'un de ses textes déjà publiés mais sans le citer (par fausse modestie ou pour toute autre raison), il poserait alors un geste d'autoplagiat généralement considéré comme répréhensible sur le plan éthique, un phénomène que j'ai abordé ailleurs (voir Cossette, 2007).

Les travaux cités proviennent-ils de documents crédibles?

La position adoptée ici est la même que celle de Forgues (2003, p. 486) : «La crédibilité d'une référence dépend essentiellement de son support.» En ce sens, la renommée plus ou moins grande de la revue savante dans laquelle un texte empirique est publié témoigne de la crédibilité de cette référence. Et elle constitue certainement un indicateur de la qualité de l'article. Bien sûr, il s'agit d'un indicateur imparfait, comme l'ont noté de nombreux observateurs. Ainsi, à la suite d'une importante étude, Starbuck (2005) arrivait à la conclusion que s'il était exact que les revues les plus prestigieuses publiaient plus d'articles de grande valeur, il était également vrai qu'elles en publiaient un certain nombre de faible valeur, et ajoutait que les revues moins prestigieuses publiaient aussi à l'occasion d'excellents articles. Quoi qu'il en soit, le chercheur préfère habituellement voir son texte publié dans une revue de haut niveau, même si des revues moins bien cotées peuvent être des véhicules tout à fait acceptables. De façon générale, la norme veut qu'on cite un texte paru dans une revue avec comité de lecture, c'est-à-dire un texte qui n'a été accepté pour publication qu'après avoir été soumis à une évaluation par des pairs. La citation d'un livre ou d'un chapitre de livre, surtout s'il s'agit d'un ouvrage savant, est également très appropriée.

Cela dit, il n'est pas recommandé de citer des travaux de recherche parus dans des documents peu crédibles. Ainsi, la valeur d'une recherche empirique publiée dans une revue sans comité de lecture serait spontanément considérée comme assez douteuse. Les communications figurant dans les actes d'une conférence (même arbitrée) ont elles aussi une valeur restreinte, étant donné que le processus d'évaluation pour la participation à une conférence est normalement beaucoup moins rigoureux que celui pour la publication dans une revue; en fait, tant que le texte d'une communication n'a pas fait l'objet d'une publication en bonne et due forme dans une revue savante, ce qui ne se produit pas très fréquemment, il est traité la plupart du temps comme une *pré*publication. En ce qui a trait aux cahiers de recherche et autres documents de travail, de même qu'aux textes en préparation, ils se situent au bas de l'échelle et leur existence témoigne simplement de l'activité du chercheur dans un domaine particulier. Quant aux thèses, c'est surtout quand elles donnent lieu à un article publié dans une revue savante qu'elles prennent vraiment de la valeur, du moins en ce qui concerne leur contribution à l'enrichissement des connaissances; à de rares exceptions près, citer leur contenu avant ce moment apparaît comme un geste prématuré.

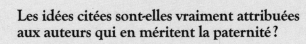

Les idées citées sont-elles vraiment attribuées aux auteurs qui en méritent la paternité?

Il y a un grand principe qui devrait toujours guider le chercheur: ce sont les *idées* beaucoup plus que les *personnes* qui doivent faire l'objet d'une citation. Comme c'est d'ailleurs généralement le cas dans les revues savantes de haut niveau. Pour des raisons évoquées précédemment, certains chercheurs semblent malheureusement très sensibles à l'identité de l'auteur d'un texte, alors que ce sont les idées qui devraient établir le point de départ du processus de constitution des connaissances.

Bien sûr, ces idées doivent être pertinentes et publiées dans des documents crédibles, comme nous venons de le voir. Mais elles doivent aussi être attribuées aux auteurs qui en méritent la paternité, ce qui, de toute évidence, n'est pas toujours le cas. D'ailleurs, pas besoin d'avoir recours à un test génétique pour savoir que le crédit d'une seule idée ne peut à peu près jamais être accordé à une multitude d'auteurs. Pourtant, qui n'a jamais vu une de ces interminables listes d'auteurs accompagnant la citation d'une seule idée? Au bout du compte, le chercheur qui attribue la paternité d'une idée à un ou plusieurs auteurs ne devant manifestement pas en recevoir le crédit ne fait, au mieux, que l'étalage de sa propre ignorance et, au pire, celui de son manque d'intégrité. Dans tous les cas, il voit la crédibilité de son travail – et parfois la sienne – sérieusement mise en cause.

Mais il va de soi que le chercheur ne peut pas avoir tout lu. Submergé par la quantité impressionnante d'articles publiés chaque année, le chercheur de bonne foi peut avoir tendance à s'en remettre surtout à des articles parus dans des revues ayant un «facteur d'impact[2]» élevé (Judge *et al.*, 2007). De plus, même s'il a réalisé une recherche documentaire très détaillée, il se peut très bien que des textes importants lui aient échappé. Qui n'a pas découvert un jour l'existence d'un texte qu'il aurait pu ou dû citer dans un de ses propres articles?

Le souci d'attribuer une idée à l'auteur en droit d'en revendiquer la paternité amène parfois à citer des travaux datant de plusieurs années, parfois plusieurs décennies. Mais on ne peut tout de même pas reprocher à un chercheur de donner le crédit dû à un auteur pour une idée proposée par lui à une autre époque. Au contraire, on devrait le féliciter.

---

2. Le facteur d'impact d'une revue est habituellement évalué par le niveau moyen de citations de chacun de ses articles sur une période de temps donnée. Cette mesure n'est certainement pas sans valeur, mais elle semble avoir eu plusieurs effets pervers au cours des années (voir à ce sujet l'excellent article de Monastersky, 2005). Entre autres, certains rédacteurs en chef auraient tendance à adopter des comportements discutables sur le plan éthique afin d'augmenter le facteur d'impact de leur revue. Par exemple, insister plus ou moins subtilement auprès des chercheurs dont le manuscrit serait en cours de révision pour qu'ils citent des articles publiés dans leur propre revue.

Les travaux cités ont-ils été consultés par l'auteur lui-même?

Il faut éviter à tout prix de citer le travail d'un autre sans l'avoir consulté soi-même, c'est-à-dire en se contentant de l'avoir vu cité par quelqu'un d'autre. D'abord, prendre un tel raccourci n'est pas acceptable sur le plan éthique, étant donné qu'il s'agit d'un plagiat de citation, qu'elle soit intégrale ou non. Mais il y a plus. Comme je le mentionnais ailleurs, «[...] une idée n'existe pas dans le vide, c'est-à-dire qu'elle est inévitablement contextualisée dans un ensemble d'idées à l'intérieur duquel elle prend une signification particulière» (Cossette, 2007, p. 49). Il devient donc très risqué de mettre cette idée au service de sa propre recherche sans avoir bien saisi le réseau sémantique dans lequel elle s'insère. De façon encore plus générale, il faut réaliser qu'en citant des idées tirées d'un texte qu'il n'a pas lu, le chercheur risque de mal refléter ou interpréter la pensée de l'auteur en question.

Pour contrer toute allégation éventuelle de plagiat de citation, le chercheur peut utiliser l'expression *cité dans* pour faire état d'une idée tirée d'un document qu'il n'a pas consulté mais dont il a pris connaissance dans le travail d'un autre. Cette pratique n'est pas inacceptable si elle demeure exceptionnelle et si le document original est introuvable ou difficilement accessible; ce qui se produit, notamment, lorsque le document a été publié il y a très longtemps ou encore que la revue ou la maison d'édition n'existe plus.

Conclusion

Dans une étude impressionnante portant sur 614 articles publiés dans 21 revues classées parmi les meilleures en gestion, Judge *et al.* (2007) ont montré que les quatre facteurs suivants avaient tous – et dans l'ordre – un impact sur le niveau de citation d'un article: la revue dans laquelle il est publié (taux de citation de ses articles, prestige qu'on lui attribue subjectivement), le contenu de l'article lui-même (originalité de la recherche, qualité du cadre méthodologique, clarté de l'écriture), les caractéristiques de son auteur (productivité antérieure, établissement d'affiliation) et l'endroit particulier où l'article figure dans le numéro de la revue (au tout début ou à la toute fin). En somme, il n'y aurait pas que les *idées* qui compteraient dans l'acte de citation, c'est-à-dire que les chercheurs ne prendraient pas uniquement en considération (de façon consciente ou non) le contenu d'un article dans la décision de le citer ou non. On peut comprendre que la très grande quantité de textes publiés dans des documents crédibles sur un objet donné amène parfois le chercheur à se limiter, dans une certaine mesure, à ceux parus dans des revues de très haut calibre ou dans des ouvrages savants de grande renommée, même si ce n'est pas une pratique à recommander. Mais se baser sur la notoriété de son auteur ou de son établissement d'affiliation est à proscrire, indiscutablement.

La citation d'un article est lourde de conséquences. Comme elle devient une reconnaissance explicite de l'apport d'une recherche, elle contribue en quelque sorte à faire «vivre» cette recherche, comme je le mentionnais dans l'introduction de cet ouvrage. En citant un travail, c'est comme si le chercheur participait à l'intégration de son auteur dans la conversation savante sur un objet de recherche. D'une certaine façon, en se prononçant ainsi sur le valeur d'un texte, un chercheur se trouve à assumer une responsabilité importante dans le processus de constitution des connaissances. Sans oublier que la citation d'un texte peut avoir beaucoup d'impact sur la carrière de son auteur, y compris sur l'obtention d'une permanence, d'une promotion ou même d'une prime financière. Sans oublier que la citation d'un article contribue à hausser le facteur d'impact de la revue qui le publie. Bref, citer un travail est un geste qui ne doit surtout pas être pris à la légère.

Soigner la rédaction
du texte et la préparation
de la bibliographie.

La qualité de l'écriture d'un manuscrit soumis en vue d'une publication dans une revue savante exerce aujourd'hui une influence incontestable sur la recommandation de l'accepter ou non que feront les évaluateurs et la décision finale que prendra le rédacteur en chef de cette revue. Campbell (1995), qui fut rédacteur en chef et rédacteur associé du *Journal of Applied Psychology* pendant neuf ans, affirmait que l'incapacité de bien comprendre ce qu'un auteur essayait de dire était l'une des causes les plus fréquentes du rejet d'un manuscrit. Il écrivait que « la plus grande surprise (*biggest shock*) qu'il avait eue durant cette période fut de découvrir combien de personnes étaient incapables de décrire clairement et directement ce qu'elles avaient voulu faire, ce qu'elles avaient effectivement fait et ce qu'elles avaient finalement trouvé », ajoutant que « [...] les manuscrits rédigés avec clarté constituaient une minorité » (p. 272).

Écrire dans un langage intelligible n'a pas toujours été considéré par tous les chercheurs comme une vertu, loin de là. Ainsi, dans une recherche réalisée il y a un certain temps et dont les résultats semblent plutôt déconcertants, Armstrong (1980) avait d'abord montré que plus une revue savante en gestion était difficile à lire (une variable mesurée à l'aide d'un test portant sur la longueur des phrases et le nombre de syllabes par 100 mots), plus les professeurs de l'échantillon retenu ($n = 20$) la considéraient comme prestigieuse. Puis, après avoir réécrit les conclusions de quatre articles en modifiant leur niveau de lisibilité mais sans changer leur contenu (par exemple, en enlevant les mots inutiles, en remplaçant les mots difficiles à comprendre et en faisant des phrases plus courtes), il constata ceci auprès d'un autre échantillon de professeurs ($n = 32$) : plus les conclusions des articles étaient faciles à comprendre, moins les professeurs considéraient la recherche comme de haut niveau (*competence of the research*). En d'autres termes, en se fondant sur ces deux expériences, Armstrong concluait que les chercheurs étaient très impressionnés par des textes inintelligibles et qu'ils n'avaient pas tendance à valoriser la clarté. Les choses semblent avoir profondément changé depuis 1980. Mais il y a probablement encore quelques évaluateurs, surtout parmi ceux qui sont novices ou qui manquent de confiance en eux, qui ont tendance à s'incliner béatement devant ce qu'ils ne comprennent pas ou ce qui leur apparaît très complexe.

William Starbuck (1999) et Daryl Bem (2003) figurent sûrement parmi ceux qui se sont le plus intéressés à ces aspects qu'on associe généralement à la forme d'un texte, mais qui ne sont pas sans lien avec sa substance. Je recommande la lecture de ces deux documents, d'autant plus qu'ils sont disponibles sur le site Internet de ces auteurs. Leurs propos ont été une bonne source d'inspiration pour la préparation de ces quelques pages.

Si l'on ne devait faire appel qu'à un seul mot pour caractériser un texte bien rédigé, ce serait certainement CLARTÉ. Rappelons-nous les paroles célèbres de Boileau : « Ce que l'on conçoit bien s'énonce clairement, et les mots pour le dire arrivent aisément. » Plus récemment, Huff (1999) insistait sur l'existence d'une très forte relation de réciprocité entre l'écriture et la pensée, l'une aidant à clarifier l'autre lors de la préparation d'un texte rendant compte d'une recherche. La plupart des questions qui suivent et que le chercheur est invité à se poser visent donc à évaluer la clarté de son texte. Les dernières questions portent sur le bon usage de la langue employée par le chercheur (orthographe, grammaire, ponctuation, etc.) et sur la préparation de la bibliographie.

Le texte est-il rédigé dans un langage précis ?

Choisir les termes justes pour exprimer une idée aide à bien se faire comprendre. Idéalement, tous les lecteurs attentifs devraient être capables de saisir le sens que le chercheur donne à ses propos, assez du moins pour pouvoir les reformuler à sa satisfaction. Conséquemment, le chercheur doit faire tous les efforts qu'il faut pour que ses propos ne soient pas ambigus, notamment en utilisant un langage aussi précis que possible.

Sous cet aspect, un bon chercheur est donc un chercheur obsessif. Il prête beaucoup d'attention aux détails et au choix des mots, réécrivant généralement plusieurs fois la plupart des phrases et des paragraphes de son texte (Bem, 2003). Il préfère nettement les termes précis aux termes généraux, vagues, approximatifs ou flous qui, eux, prêtent à de multiples interprétations.

L'usage des synonymes comme substituts de mots importants de la recherche (par exemple, ceux employés dans la formulation de l'objectif de la recherche, de ses questions spécifiques ou de ses hypothèses) n'est habituellement pas considéré comme souhaitable. Ainsi, selon Starbuck (1999), faire appel à un synonyme peut créer de la confusion, ce que Bem (2003) croit aussi. L'opinion de Weick (1995b) semble un peu divergente. Tout en reconnaissant l'argument que « [...] différents mots signifient différentes choses» (p. 293) et qu'il est préférable de ne pas recourir à un synonyme lorsqu'on tient à ce qu'une idée demeure très précise (*accurate*), il soutient qu'il peut être approprié de le faire si l'on veut donner à une idée une portée plus générale.

Le texte est-il rédigé dans un style concis?

La concision témoigne de la densité d'un texte, une qualité qu'apprécient particulièrement les lecteurs pour qui le temps est une ressource rare. Elle renvoie en quelque sorte à l'efficience, ou productivité, dans l'écriture. Elle désigne essentiellement la capacité du chercheur à employer le minimum de mots pour rendre compte du maximum d'idées. Mais la concision n'implique pas que le chercheur néglige d'apporter tous les détails ou toutes les précisions qu'exige la clarté, ni de reformuler en d'autres termes une idée particulièrement complexe ou de résumer brièvement le contenu d'une section importante pour s'assurer d'être bien compris.

Être concis impose cependant d'éliminer non seulement les mots inutiles, mais aussi les phrases, les paragraphes et même les sections dont l'apport est manifestement très faible ou marginal. Les notes infrapaginales sont elles aussi à éviter, plusieurs revues savantes allant même jusqu'à les interdire ou à demander à l'auteur de les réduire au strict minimum, car si leur contenu est vraiment important, il devrait figurer à l'intérieur du texte. Sans oublier que ces notes en bas de page peuvent avoir pour effet de briser un peu le «rythme» d'un article de recherche, comme si elles venaient interrompre l'histoire racontée par le chercheur.

Starbuck (1999) prétend qu'on peut réduire de 25% la longueur d'à peu près n'importe quel texte sans vraiment l'appauvrir – Huff (1999) dira de 30% à 50% – et que cela pourrait même rendre son contenu encore plus clair. En d'autres mots, être concis peut aider à mettre plus en valeur les idées centrales d'un texte.

Le texte est-il rédigé dans un langage simple et direct?

L'auteur souhaite-t-il véritablement être compris? À lire certains manuscrits, il est permis d'en douter. Il y a d'abord les chercheurs qui s'efforcent d'impressionner le lecteur en faisant étalage de leurs vastes connaissances, en employant un langage hermétique ou en montrant leur talent à faire paraître très complexes des idées qui ne le sont pas, ce qui ne contribue qu'à éloigner le lecteur ou à le faire rager. D'autres semblent particulièrement inconscients du fait qu'ils sont actuellement engagés dans une *conversation* et qu'ils doivent tout mettre en œuvre pour bien se faire comprendre. D'autres encore ne possèdent pas cette habileté à s'exprimer d'une manière simple et directe, ce qui peut être un très sérieux handicap chez un producteur de connaissances. Finalement, il y a les chercheurs négligents qui ne se donnent pas la peine de relire (ou faire relire) leur texte afin de le rendre plus facilement compréhensible.

En pratique, comment s'exprime le chercheur qui emploie un langage simple et direct? Il utilise des mots que la plupart des gens comprennent, parce qu'il sait très bien que l'adoption d'un langage inintelligible ou pédant ne les rend pas plus brillants, ni lui ni son texte. Le plus souvent, il fait des phrases courtes, allant droit au but. Il évite le jargon ou le vocabulaire trop spécialisé, mais s'il doit y faire appel, il s'assure de bien définir les termes qu'il emploie. Il précise également la signification des sigles et acronymes qu'il utilise. Dans la majorité des cas, il écrit comme s'il s'adressait à quelqu'un possédant d'assez bonnes connaissances dans le domaine général à l'intérieur duquel s'inscrit sa recherche, sans présumer toutefois que la personne a une expertise particulière sur l'objet spécifique de son travail.

Le texte est-il bien structuré?

Globalement, un texte bien structuré se caractérise par un agencement logique de ses diverses parties, ce dont on a déjà un solide aperçu en jetant un simple coup d'œil aux titres des sections et sous-sections du texte. Reportons-nous à la distinction que Kaplan (1964) établissait entre la logique «utilisée» (*logic-in-use*) et la logique «reconstruite» (*reconstructed logic*) en traitant du processus de constitution des connaissances. Ainsi, dans un article de recherche, le chercheur ne structure normalement pas son texte en rendant compte de la logique qu'il a effectivement suivie pour déterminer son objectif de recherche, pour construire son cadre méthodologique ou pour présenter les résultats, les analyser et en discuter. Le lecteur espère plutôt que le chercheur mette un peu d'ordre dans son texte, ne serait-ce que pour en faciliter la lecture.

Le modèle typiquement suivi pour rendre compte d'une recherche empirique – et qui a guidé la proposition des cinq premières règles présentées dans cet ouvrage – suggère au chercheur de composer une introduction dans laquelle il soumet et problématise l'objectif général de sa recherche, une ou deux sections sur les fondements théoriques de la recherche, une autre sur son cadre méthodologique, une autre encore sur la présentation et l'analyse des résultats, et enfin une dernière sur la discussion de leur apport théorique et de ses implications, sans négliger de faire état des limites de la recherche. Ce modèle est adopté dans ses grandes lignes par la presque totalité des chercheurs, y compris ceux préférant la recherche qualitative, de même que dans la plupart des revues savantes. Il est certainement discutable, mais… peu discuté, à ma connaissance. Sans se fermer à d'autres modèles, il semble que les chercheurs et autres acteurs concernés s'accommodent plutôt bien de cette structure dominante.

La structure d'un texte n'a pas uniquement trait à cette logique unissant chacune de ses sections et sous-sections. Elle renvoie également au fil conducteur à l'intérieur de chacune de ces parties. Le déroulement de la pensée du chercheur ou l'enchaînement des idées qu'il propose ou auxquelles il fait appel doit être facile à suivre. Un texte bien structuré est un texte fluide.

Très concrètement, que le chercheur fait-il pour que son texte soit fluide ? Il doit d'abord veiller à ce que le lecteur se sente bien guidé. Pour ce faire, il doit introduire minutieusement chaque partie importante, en indiquant ce qu'elle contient et, au besoin, en justifiant ses différentes sous-sections. Il doit aussi conclure chacune de ces grandes parties en soulignant les principaux points à en retenir. Il s'assure également qu'il y ait suffisamment de sous-titres pour que le lecteur ait des repères, mais pas trop de parenthèses ni de notes en bas de page qui ont souvent pour effet de distraire ce dernier (Daft, 1995).

Mais il y a plus. D'un paragraphe à l'autre – je signale au passage qu'à de rares exceptions près un paragraphe ne devrait jamais se limiter à une seule phrase, du moins dans un article de recherche – et même d'une phrase à l'autre, le chercheur doit utiliser des mots de liaison (*cependant, pourtant, donc, par contre, étant donné*, etc.) qui sont appropriés et qui rendent le texte intelligible... et convaincant. La clarté d'un texte dépend énormément de ces conjonctions et locutions conjonctives. Dans un texte bien structuré, les idées sont bien liées.

Le texte est-il rédigé dans le respect des règles et usages de la langue employée ?

Toute langue a ses règles et usages qui régissent la manière d'écrire des mots, de construire des phrases et de fabriquer des paragraphes. Ces normes portent principalement sur l'orthographe, la grammaire et la ponctuation. Le chercheur qui écrit correctement la langue dans laquelle il s'exprime montre sa préoccupation pour la qualité de ce qui constitue en quelque sorte l'emballage des idées présentées ; ce qui pourrait amener le lecteur, comme le laisse entendre Meyer (1995), à supposer plus ou moins implicitement que le produit est lui aussi de qualité.

Par ailleurs, le chercheur a généralement avantage à faire preuve d'une certaine prudence dans l'utilisation d'un langage qui pourrait sembler discriminatoire (sexiste, raciste, etc.). Par exemple, plusieurs font appel à des termes aussi neutres que possible (*personnes*, *individus*, etc.) pour désigner à la fois les hommes et les femmes et éviter ainsi les répétitions inutiles.

Le bon usage d'une langue suggère également de ne pas avoir recours à des tournures de phrases passives, surtout parce qu'elles rendent le texte moins vivant. Pour les transformer, Starbuck (1999) suggère de bien identifier la source de l'action et d'en faire le sujet de la phrase. Par exemple, le chercheur au style plus actif ou dynamique n'écrirait pas «les principales caractéristiques des répondants sont présentées dans cette section» ou «le compte rendu des entretiens fut soumis aux participants pour fins d'évaluation», mais plutôt «cette section présente...» et «les participants évaluèrent...». Cela m'amène à aborder brièvement la question de l'emploi du *je* en recherche ou du *nous* lorsqu'il y a plusieurs auteurs (ou comme pluriel de modestie).

Traditionnellement, plusieurs estimaient que l'utilisation du *je* dans un texte de recherche était à proscrire parce qu'elle lui aurait donné un parfum de subjectivité inacceptable en contexte de production de connaissances. Le chercheur ne devait-il pas faire preuve d'une absolue neutralité pour préserver l'objectivité de ses propos ? Aujourd'hui, de nombreux chercheurs empruntent toutefois une perspective subjectiviste pour réaliser leurs travaux de recherche.

Comme ils présument qu'ils ne peuvent s'abstraire du processus de constitution des connaissances, ils ne sont pas réfractaires à l'utilisation du *je*. Cela dit, ils n'ont pas tendance à en abuser. Le plus souvent, ils se servent du *je* lors des transitions, en particulier pour introduire ou conclure une section, beaucoup plus que pour s'attribuer très explicitement le crédit d'une idée, une pratique qui rendrait le texte moins convaincant, selon Starbuck (2003). Bref, *usus non abusus*.

Par ailleurs, l'utilisation du temps présent est à privilégier dans la préparation d'un texte de recherche, sauf pour faire état des travaux passés. De façon générale, comme le note bien Starbuck (1999), le temps présent interpelle (*engage*) plus le lecteur que le passé ou le futur.

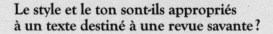

Le style et le ton sont-ils appropriés à un texte destiné à une revue savante?

Reportons-nous à Daft (1995). Selon lui, les procédés linguistiques de certains auteurs laissent penser qu'ils «[...] ne savent pas ce qu'ils font, qu'ils sont des amateurs» (p. 170). Par exemple, ils abusent du point d'exclamation, de l'italique ou d'autres signes visant à attirer l'attention sur un point particulier, ce qui indique souvent que ce dernier n'a pas été traité adéquatement dans le texte ou n'a pas été présenté d'une manière optimale. Les propos de Starbuck (1999) vont dans le même sens. D'après lui, l'utilisation de l'italique devrait servir uniquement à mettre l'accent sur des termes vraiment cruciaux (*key words*), pas sur ceux dont le chercheur aurait peur qu'ils passent inaperçus; s'il avait une telle crainte, ce serait parce que ses idées devraient être mieux formulées. Starbuck invite également le chercheur à avoir recours aux guillemets seulement dans le cas d'une citation intégrale (avec le numéro de la page du document d'où elle est tirée, aurait-il pu ajouter), pas pour souligner l'importance d'un mot. En français, il y a souvent concurrence entre l'emploi de l'italique et celui des guillemets pour attirer l'attention ou insister sur un mot ou sur une expression. Quoi qu'il décide, le chercheur devrait s'efforcer d'être uniforme dans l'usage de l'un et l'autre de ces procédés et de ne pas en abuser.

Daft mentionne également que certains chercheurs amplifient tellement les limites ou faiblesses des travaux réalisés par d'autres chercheurs que leurs critiques perdent toute crédibilité. Il arrive aussi que des chercheurs surestiment grossièrement la contribution présumée de leur propre recherche, comme si leurs résultats constituaient la preuve irréfutable et définitive mettant fin à la conversation sur l'objet de la recherche. On ne répétera jamais assez le conseil de Daft (1995, p. 180) : «N'exagérez pas»! J'ai ajouté le point d'exclamation...

Il y a un dernier point qu'il ne faut surtout pas oublier. Comme nous le rappellent notamment Kilduff (2006) et Bem (1995), le chercheur critique des idées, des théories ou des travaux, pas des personnes. La rédaction d'un article de recherche ne doit pas devenir l'occasion de régler ses comptes avec un autre chercheur ni même de l'attaquer personnellement ce qui, de toute façon, serait jugé totalement inacceptable lors de l'évaluation du texte.

Y a-t-il des erreurs ou des omissions dans la bibliographie?

Dans un article de recherche, la bibliographie ne contient que les références mentionnées dans le texte. Toutes les références doivent donc figurer en bibliographie, et uniquement celles-là. D'après mon expérience comme évaluateur, cette adéquation entre les deux est très rare.

Par ailleurs, plusieurs indices laissent croire que trop souvent le chercheur bâcle la préparation de la bibliographie, du moins lorsqu'il soumet son manuscrit pour fins d'évaluation. Ainsi, certaines informations contenues dans les références sont incorrectes (nom ou ordre des auteurs, année de publication, etc.) ou manquantes (volume ou numéro de la revue, pages couvertes par l'article, etc.). Ces erreurs ou omissions causent parfois de sérieux ennuis au lecteur qui veut se procurer le texte cité.

Finalement, la bibliographie devrait être préparée conformément aux normes éditoriales fixées par la revue concernée. Cependant, le respect de ces normes n'est pas toujours scrupuleusement suivi au moment de la soumission du manuscrit. Quoi qu'il en soit, il est essentiel que la chercheur uniformise la présentation de chaque document (articles, ouvrages, chapitres d'ouvrages, etc.), y compris en ce qui a trait à l'usage des majuscules et des guillemets.

Conclusion

Dans une conversation savante, comme dans toute communication, le plus important n'est peut-être pas ce que le chercheur dit mais ce que le lecteur comprend. Un chercheur convaincant s'efforce donc de se mettre dans la peau du lecteur lorsqu'il écrit le texte rendant compte de sa recherche. Cela l'amène à modifier sans cesse son texte afin qu'il soit toujours plus clair, toujours plus facile à lire et à comprendre.

De plus, et non sans lien avec ce qui précède, un texte destiné à une revue savante doit être agréable à lire. Il doit être vivant, avoir un certain rythme et susciter l'intérêt chez le lecteur. Un modèle ? À mes yeux, les articles écrits par Henry Mintzberg possèdent généralement ces qualités.

Soumettre le texte à la critique
avant de l'acheminer
à une revue savante,
bien choisir cette revue
et, le cas échéant, réagir
constructivement aux
demandes de modifications.

Tout au long de l'élaboration et de la réalisation d'un projet de recherche, il peut évidemment être très enrichissant pour le chercheur d'obtenir des commentaires sur son travail. Comme je le mentionnais précédemment, cette rétroaction est souvent cruciale *avant* la collecte des données (voir règle n° 3). Mais lorsque le chercheur a finalement en main une version complète du texte rendant compte de sa recherche, il est également très important de la soumettre à la critique *avant* de l'acheminer à une revue savante.

Ainsi, certains chercheurs demandent à un ou plusieurs collègues de lire et critiquer ce qu'ils ont écrit, sans toujours réaliser qu'un travail minutieux de révision exige une grande générosité de la part de collègues très sollicités. Il est aussi courant que les chercheurs proposent leurs textes en vue d'une communication dans un congrès, ce qui permet souvent d'obtenir des commentaires intéressants dans l'évaluation écrite qui en est faite et, possiblement, au moment même de sa présentation.

Puis, après avoir apporté toutes les modifications requises, et dans un moment souvent émouvant, le chercheur soumet son manuscrit à une revue savante. Le rédacteur en chef qui le reçoit se demande d'abord si ce manuscrit a des chances d'être éventuellement publié dans la revue. S'il est convaincu qu'il ne le sera jamais, notamment à cause d'une contribution théorique jugée trop faible, le texte est immédiatement rejeté, ce que désigne bien l'expression anglaise *desk rejections*. Par contre, si le rédacteur en chef considère que le texte mérite d'être évalué, il le fait parvenir à deux, trois ou même quatre évaluateurs qu'il estime compétents pour faire ce travail.

Quelques semaines plus tard, après avoir reçu des évaluateurs leur évaluation chiffrée des critères figurant sur un formulaire prévu à cette fin[1] et, surtout, leurs commentaires et recommandations, le rédacteur en chef décidera de rejeter le manuscrit ou d'inviter son auteur à lui apporter des modifications plus ou moins importantes[2]. Dans ce dernier cas, l'auteur pourra décliner cette invitation si, par exemple, il est en complet désaccord avec ce qu'on lui demande de faire ou s'il est « assommé » par les commentaires sur son texte. Même s'il s'agit, selon la plupart des observateurs, d'une chance qui lui est offerte, comme s'il avait « un pied dans la porte » (Rindova, 2008, p. 302). S'il saisit

---

1. Pour une présentation et une brève discussion des critères de la revue *Academy of Management Journal*, voir Colquitt et Ireland (2009).

2. Dans l'*Academy of Management Journal*, il est très rare qu'un manuscrit soit accepté au départ avec des modifications *mineures* (Rynes, 2006). Et l'on peut facilement présumer que ce constat vaut pour la quasi-totalité des revues de premier ordre.

cette chance, il devra retourner à sa table de travail et consacrer de nombreux efforts à transformer son texte en fonction des commentaires reçus, sans aucune garantie toutefois qu'on l'acceptera et tout en sachant qu'on lui demandera peut-être, encore une fois, d'apporter des modifications à cette version améliorée[3].

Il y a plusieurs questions qui peuvent aider à déterminer si le chercheur agit de façon convaincante avant la soumission de son texte à une revue, au moment même de cette soumission et, plus tard, lorsqu'il reçoit la réponse du rédacteur en chef. En voici quelques-unes.

> **Le chercheur fait-il vraiment ce qu'il faut pour obtenir des commentaires enrichissants sur une version complète de son texte avant de le soumettre à une revue savante?**

Plusieurs chercheurs soumettent trop tôt le texte rendant compte de leur recherche, malgré les mises en garde de nombreux observateurs. À ce sujet, le conseil de Huff (1999, p. 121) est sans équivoque: «Ne soumettez jamais un travail qui n'est pas prêt à l'être [*unfinished work*] "juste pour voir les commentaires"», même en vue d'une participation à un congrès, dira-t-elle. À son avis, les commentaires que le chercheur recevra s'il ne respecte pas cette règle seront probablement ceux qu'il aurait facilement pu se faire lui-même... De plus, il risque alors de nuire à sa réputation, y compris si le texte est publié. Seibert (2006, p. 206) est aussi catégorique: «Soumettez le meilleur manuscrit possible – ne comptez pas sur les évaluateurs pour faire le travail à votre place.» Bergh (2002) exprime le même avis lorsqu'il prétend que l'auteur ne serait pas bien servi par une stratégie consistant à soumettre un manuscrit dans le but premier de recevoir des commentaires, tout en sachant qu'il serait vraisemblablement refusé; selon lui, plus le manuscrit est dans un état considéré comme final, meilleurs ou plus enrichissants seront les commentaires des évaluateurs.

On comprendra ici que les commentaires complaisants de prétendus amis ne sont d'aucune utilité. Ainsi, selon Starbuck (2003), les proches collègues à qui l'on en ferait la demande pourraient très bien être portés à lire le manuscrit assez rapidement et, soucieux de ne

---

3. Pour une description schématique et très bien expliquée de tout le processus suivi lors de la soumission d'un texte à la revue *Academy of Management Journal* (et ailleurs, pourrait-on ajouter), voir Ireland (2008).

pas blesser son auteur, à faire des commentaires «polis et superficiels» (p. 345). Schminke (2004) suggère de créer avec un collègue ami mais capable d'être très sévère (*a tough friend*, dira-t-il) un partenariat dans lequel chacun s'engage à examiner sérieusement et à critiquer de façon sévère mais constructive le travail de l'autre avant que le manuscrit soit acheminé à une revue savante pour évaluation. Les propos de Bergh (2002) et ceux de Huff (1999) vont dans le même sens. Cependant, de telles ententes paraissent difficiles à établir et peu d'entre elles semblent résister à l'épreuve du temps.

Dans la plupart des cas, une piste à privilégier pour obtenir des commentaires permettant d'améliorer encore un texte avant de le faire parvenir à une revue savante est de le soumettre en vue d'une participation à un congrès, surtout si ce congrès est de haut niveau. Les chances d'obtenir des commentaires intéressants sont alors plus élevées. De façon générale, un évaluateur anonyme n'aura pas tendance à faire des commentaires trop indulgents ou flatteurs.

Quoi qu'il en soit, quand le chercheur est convaincu que le texte de sa recherche est finalement prêt à être soumis à une revue savante, il devrait...le relire une dernière fois, *très attentivement*, comme si ce texte n'était pas le sien, comme s'il en était l'un des évaluateurs. Il lui apportera alors presque certainement d'autres modifications, qui peuvent ne pas être mineures.

 Le chercheur soumet-il son manuscrit à une revue appropriée et en respecte-t-il les directives à l'intention des auteurs?

Il y a des erreurs évidentes à éviter, comme celle de soumettre un texte empirique à une revue qui ne publie que des articles théoriques, ou encore un texte de recherche à une revue professionnelle. On devine aussi que les directives à l'intention des auteurs doivent être suivies scrupuleusement. Mais avant d'arrêter son choix sur une revue plutôt que sur une autre, le chercheur a avantage à examiner attentivement les caractéristiques des articles qui y ont été publiés au cours des derniers mois ou même des dernières années. Par exemple, y a-t-il des objets de recherche qui paraissent particulièrement valorisés? Sur le plan épistémologique, les articles s'inscrivent-ils principalement dans une seule perspective? Les textes qualitatifs semblent-ils les bienvenus? La revue publie-t-elle des recherches de type inductif? Le rédacteur en chef et les rédacteurs associés sont-ils fortement identifiés à un même courant ou à une même école de pensée? Bien que je recommande au lecteur de prendre toutes ces précautions, je dois reconnaître que, dans la très grande majorité des revues, la tendance est aujourd'hui indéniablement à l'ouverture.

Très important également, le chercheur doit déterminer de manière réaliste l'ampleur de la contribution théorique de sa recherche, de même que celle des articles publiés dans les revues visées. Il doit y avoir correspondance entre les deux. Il n'est pas rare que le chercheur surévalue l'importance de la contribution théorique de sa recherche, ce qui donnera lieu à un rejet immédiat dans une revue de haut calibre.

Enfin, le chercheur doit bien examiner la bibliographie de son propre manuscrit, comme le recommande explicitement Rousseau (1995). Si elle ne contient aucune référence à des articles parus dans une revue donnée, alors il n'est pas impossible que cette revue ne soit pas le bon endroit où soumettre le manuscrit. En d'autres termes, si aucune des idées auxquelles le chercheur fait appel pour construire ou réaliser son projet de recherche ne provient d'un article paru dans cette revue, il serait étonnant qu'elle soit le véhicule le plus approprié pour diffuser la contribution que le chercheur prétend apporter. Il ne s'agit pas ici de suggérer au chercheur d'inclure dans sa bibliographie des articles non pertinents mais qui auraient été publiés dans une revue où il compte soumettre son manuscrit, afin de plaire à son rédacteur en chef. Ni de nier qu'un rédacteur en chef puisse être sensible au facteur d'impact de sa revue, dont on a vu précédemment qu'il était déterminé par le nombre de citations des textes qui y paraissent. Il s'agit simplement de réaffirmer l'importance pour le chercheur de s'en tenir à des textes pertinents pour son propre travail et de se demander si les revues où ils ont été publiés ne seraient pas des lieux intéressants pour poursuivre la conversation sur l'objet de sa recherche.

Le chercheur analyse-t-il soigneusement chacun des commentaires des évaluateurs et, surtout, ceux du rédacteur en chef ?

Sur le plan émotif, c'est souvent une expérience difficile de prendre connaissance des commentaires du rédacteur en chef et des évaluateurs, surtout lorsque le manuscrit est rejeté, ce qui est très fréquent dans les revues les plus renommées. Il faut se rappeler que les évaluations, même très positives, mettent surtout l'accent sur ce qui peut et doit être amélioré dans un manuscrit, ce qui n'est pas toujours très agréable à lire, même lorsque les évaluateurs font des suggestions très explicites à cet effet ; ce qui, soit dit en passant, tend à devenir la norme dans les rapports d'évaluation.

La réaction spontanée du chercheur devant les commentaires du rédacteur en chef et des évaluateurs est souvent d'affirmer qu'ils n'ont pas bien compris ce qu'il voulait dire ou même qu'ils n'ont rien compris du tout, surtout si le manuscrit est rejeté ; ce qu'il ne prétendra pas, il va sans dire, si son texte est accepté avec des modifications relativement mineures... Il n'est pas facile de composer avec la critique, y compris lorsqu'elle est justifiée. Pour reconnaître la pertinence des commentaires reçus, il est parfois nécessaire de les relire plusieurs fois, soigneusement ... et la tête froide (à ce sujet, voir Agarwal *et al.*, 2006). Mais le chercheur arrive habituellement à comprendre ce qui a suscité ces commentaires.

Reportons-nous à la règle d'or de Starbuck (2003, p. 344) : « Un évaluateur n'a jamais tort. » Cette affirmation ne signifie évidemment pas qu'il ne puisse pas se tromper. Elle indique simplement que si l'évaluateur comprend certaines idées contenues dans le texte d'une manière différente de celle que le chercheur avait en tête, ou même d'une façon complètement erronée, d'autres lecteurs feront vraisemblablement de même si le texte devait être publié sans modifications. Ses commentaires permettent donc au chercheur, parfois un peu surpris, d'apporter des clarifications ou précisions qui réduiront l'occurrence de tels problèmes. Dans la même veine, après avoir reconnu que les évaluateurs sont loin d'être des idiots, Schminke (2004, p. 311) formule ce qu'il appelle la « loi de Schminke » : « Si les évaluateurs ne comprennent pas *mon* texte, ce n'est pas leur faute, c'est la *mienne*. » Citons également Meyer (1995, p. 265) : « Considérez que toute interprétation incorrecte de vos propos est une preuve que vous n'avez pas réussi à communiquer clairement. » De façon générale, pour reprendre les mots de Bem (1995, p. 177) : « [...] quand des lecteurs d'un manuscrit trouvent que quelque chose n'est pas clair, ils ont raison. »

Il y a un point sur lequel je voudrais maintenant insister : les commentaires sont parfois très différents d'un évaluateur à l'autre et ne vont pas toujours dans la même direction. Starbuck (2005) cite quelques recherches montrant que si les évaluateurs s'entendent habituellement plutôt bien sur les propriétés que devrait posséder un manuscrit de qualité, ils divergent fréquemment d'avis dans leurs jugements sur la présence de ces propriétés dans un manuscrit donné. En fait, plusieurs études bien documentées indiquent que l'accord entre les évaluateurs d'un manuscrit est généralement faible. La plus célèbre d'entre elles est probablement celle de Peters et Ceci (1982) qui décidèrent de soumettre de nouveau aux rédacteurs en chef de douze grandes revues de psychologie un article paru dans chacune d'elles de 12 à 32 mois auparavant, après avoir attribué des noms fictifs aux auteurs ainsi qu'à leur établissement d'affiliation et modifié un peu le titre, le résumé et les mots clés de l'article. Il faut savoir qu'à ce moment-là, les évaluateurs avaient accès au nom de l'auteur et de son université... La supercherie ne fut démasquée que pour trois des douze textes, et huit des neuf autres furent rejetés pour de graves problèmes méthodologiques qui n'avaient pas été notés la première fois.

Mais ces divergences entre évaluateurs (et rédacteurs en chef) ne sont peut-être pas aussi étonnantes qu'on peut le penser à première vue. D'abord, comme je le soutenais ailleurs, «chaque évaluateur possède sa propre structure cognitive, faite de convictions personnelles plus ou moins explicites sur le plan épistémologique, ontologique, théorique ou méthodologique qui le guident inévitablement dans son appréhension d'un texte» (Cossette, 2007, p. 76; voir aussi Starbuck, 2003); il est donc tout à fait possible que des évaluateurs différents, intègres et bien intentionnés n'arrivent pas à la même conclusion quant à la valeur ou à la contribution particulière d'un texte. Ensuite, le processus même de sélection des évaluateurs rend ces divergences peu surprenantes. Ainsi, dans l'*Academy of Management Journal* par exemple, «étant donné que les trois évaluateurs sont souvent choisis afin d'offrir différentes perspectives, leurs réactions au manuscrit peuvent très bien ne pas converger» (Rynes, 2006, p. 212). Ireland (2008), rédacteur en chef de la même revue, va dans le même sens: un évaluateur serait choisi pour son intérêt dans le domaine général de recherche dans lequel s'inscrit le manuscrit, un autre pour son intérêt dans l'objet parti-culier de la recherche et un dernier pour son expertise dans l'aspect méthodologique du manuscrit. S'appuyant sur son expérience comme rédacteur en chef de la revue *Journal of Applied Psychology*, Campbell (1995) soutient lui aussi que les évaluateurs sont choisis délibérément en fonction de leurs expertises différentes dans des aspects particuliers de la recherche (p. ex., sa substance même, son côté méthodologique), ce qui entraîne presque normalement à une faible corrélation entre les avis des évaluateurs. En somme, dans un cas comme dans l'autre, tout se passe comme si les évaluateurs ne lisaient pas vraiment le même texte (Bedeian, 2004). Par conséquent, ils peuvent être en désaccord sur un même point, compte tenu de leurs convictions personnelles, mais ils peuvent également avoir des opinions différentes quant à la valeur du manuscrit parce qu'ils ne sont pas sensibles aux mêmes aspects du texte, compte tenu de leur domaine d'expertise.

On pourrait ajouter aussi que les évaluateurs n'ont pas toujours la même expérience et ne fournissent pas nécessairement les mêmes efforts, comme le note Northcraft (2001). Cela, bien sûr, pourra mener à des évaluations n'allant pas dans le même sens. Quoi qu'il en soit, il semble donc que l'attribution d'une valeur intrinsèque à un manuscrit soit une mission impossible. La décision d'accepter ou de refuser un texte de même que la nature des modifications demandées ou des raisons évoquées pour justifier la recommandation dépendent dans une large mesure des évaluateurs choisis et du rédacteur en chef lui-même. Sous cet angle, le hasard ou la chance jouerait un rôle prépondérant, un point sur lequel insiste Bedeian (2004).

Comment alors le chercheur doit-il composer avec de telles divergences lorsqu'elles se manifestent ? La réponse est assez simple : il doit suivre la direction donnée par le rédacteur en chef qui, de toute façon, aura le dernier mot. Mais il faut présumer ici que le rédacteur en chef joue pleinement son rôle et qu'il oriente clairement la suite des choses (Rousseau, 1995). C'est à lui que revient la tâche de résoudre les conflits entre les évaluateurs, en plus de hiérarchiser les problèmes qu'ils ont soulevés (Schminke, 2002). Ainsi, comme le rappelle judicieusement Rindova (2008), la lettre du rédacteur en chef est le document qui devrait guider le plus le chercheur lors du processus de révision. Si ce dernier ne doit évidemment pas ignorer les commentaires des évaluateurs, c'est d'abord l'intégration qu'en fait le rédacteur en chef qu'il doit prendre en considération.

> **Le chercheur apporte-t-il les changements requis
> et, le cas échéant, exprime-t-il ses désaccords
> de façon convaincante (et polie…) ?**

Lorsque le chercheur est invité à réviser le manuscrit qu'il a soumis et qu'il l'accepte, il doit le faire savoir sans tarder au rédacteur en chef et, surtout, apporter les changements requis aussi rapidement que possible. Selon Rindova (2008), le chercheur fait une grave erreur s'il se contente d'ajouter ici et là quelques phrases ou quelques paragraphes visant à répondre trop littéralement aux points particuliers soulevés par les évaluateurs ; une révision bien faite demande habituellement beaucoup plus que des changements cosmétiques, un point sur lequel insistent aussi Agarwal *et al.* (2006). La plupart du temps, il faut reconstruire certaines parties du texte afin d'intégrer de manière cohérente les commentaires de chacun, en particulier ceux du rédacteur en chef. Dans certains cas, qui devraient demeurer tout à fait exceptionnels de mon point de vue, les changements apportés pourraient être tellement importants qu'ils justifieraient, du moins aux yeux de certains, l'ajout d'un coauteur, comme le note Rindova (2008, p. 301) qui juge cette pratique acceptable : « Lors d'une soumission à *AMR*, un coauteur peut être ajouté à n'importe quel moment du processus de révision. »

Le chercheur peut évidemment être en désaccord avec un évaluateur ou même avec le rédacteur en chef. Et il peut certainement l'exprimer. Mais pour être convaincant, il a avantage à étoffer très solidement son argumentation. De plus, il n'est pas inutile de rappeler que la politesse est la plus élémentaire des règles à respecter dans un tel cas. Certains ont toutefois des réserves très sérieuses sur ce processus de révision. Par exemple, selon Tsang et Frey (2007), peu d'auteurs oseraient exprimer leurs désaccords sur les critiques formulées et les modifications demandées lorsqu'on leur offre l'occasion d'une révision et d'une nouvelle soumission, « conscients du fait que leur seule chance de voir leur texte accepté est de se plier presque servilement (*slavishly*) aux demandes formulées » (p. 130). D'après eux, un manuscrit devrait être accepté ou refusé *tel qu'il est*, sans exigence de révision, un processus d'évaluation qu'ils désignent par l'expression *as-is review*. À la suite de ce processus, l'auteur serait tout à fait libre d'apporter ou non les modifications suggérées, ce qui lui permettrait de conserver un sentiment de propriété sur son texte. Je ne discuterai pas ici des mérites de cette approche mais, en me fondant sur mon expérience, je considère qu'il n'y a pas de raison de croire *a priori* que le rédacteur en chef – celui qui décide, au bout du compte – soit de mauvaise foi ou complètement fermé à la discussion sur les modifications demandées. Par ailleurs, le chercheur est assurément capable d'exprimer ses désaccords de façon franche, directe et précise, tout en évitant d'être grossier.

Finalement, le chercheur-auteur doit joindre à la nouvelle version qu'il achemine au rédacteur en chef un document dans lequel il a dressé la liste des changements apportés à son texte et expliqué les raisons pour lesquelles il n'a pas fait certaines des modifications demandées. Ignorer certains commentaires des évaluateurs et, surtout, du rédacteur en chef est rarement une stratégie efficace.

Conclusion

Le rédacteur en chef et les évaluateurs veulent habituellement aider le chercheur à améliorer le manuscrit qu'il a soumis, surtout lorsqu'ils en recommandent l'acceptation avec des modifications plus ou moins importantes. Dans de nombreux cas, ils se mettent en quelque sorte à son service, même si le chercheur aurait parfois apprécié un peu moins de générosité de leur part...

Dans une enquête très intéressante menée par Bedeian (2003) auprès de 173 auteurs d'articles parus dans l'*Academy of Management Journal* et l'*Academy of Management Review* entre 1999 et 2001, la très grande majorité des répondants (89 %) reconnaissaient que le processus de révision avait effectivement conduit à une amélioration de la qualité de leur texte. Suffisamment, ajoutaient 74,2 % d'entre eux, pour justifier tout le travail supplémentaire accompli et le délai de publication encouru. Mais plus du tiers prétendaient également que les révisions demandées reposaient sur les «préférences personnelles» du rédacteur en chef ou des évaluateurs, et près du quart des 173 auteurs soutenaient même avoir dû apporter des changements qu'ils jugeaient incorrects (*wrong*).

Le chercheur ne contrôle pas le processus d'évaluation du manuscrit qu'il soumet à une revue savante. Mais il est tout de même responsable du niveau d'achèvement de son manuscrit, du choix de la revue où il est envoyé et de sa propre réaction aux commentaires du rédacteur en chef et des évaluateurs. Négliger l'un ou l'autre de ces facteurs peut mener à un échec et suffire à annuler ainsi des centaines d'heures de travail consacrées à la préparation et à la réalisation d'une recherche.

P

ersévérer, persévérer
et persévérer...

Parmi les dix recommandations de Benjamin Schneider (1995) pour parvenir à faire publier un travail de recherche, la ténacité (*persistence*) du chercheur arrive en tout premier lieu. Trouver un objectif de recherche, élaborer et réaliser un projet en vue de l'atteindre, analyser et discuter les résultats obtenus, écrire le texte rendant compte de cette recherche, tout cela requiert énormément de temps et d'efforts. Mais il y a plus, comme nous le rappelle Schneider. Soumettre son travail à la critique et, inévitablement, recevoir des commentaires désagréables, même s'ils sont constructifs, peut être très éprouvant. Ce le sera encore davantage si le texte est refusé, étant donné que le manuscrit est en quelque sorte une partie de soi-même, note judicieusement Schneider. Puis, il y a les révisions, généralement très exigeantes. Sans oublier que la gratification ultime, en plus d'être incertaine, est loin d'être immédiate, le délai entre l'idée d'une recherche et la publication de l'article auquel elle peut donner lieu étant souvent de plusieurs années. Indiscutablement, un bon chercheur est un chercheur tenace.

On peut également ajouter que persévérer face aux commentaires clairement biaisés et parfois même hostiles de la part de certains évaluateurs (à ce propos, voir notamment Miller, 2006) demande un niveau de confiance en soi passablement élevé. D'une certaine manière, il faut être courageux pour *écrire* et se rendre ainsi vulnérable face à des évaluateurs peu compétents sur le plan humain ; des commentaires déplacés peuvent affecter profondément plus d'un chercheur, et pas uniquement ceux en début de carrière. Il n'est pas inutile de rappeler ici le premier des cinq droits contenus dans la charte (*bill of rights*) préparée par Harrison (2002, p. 1080) : « Les auteurs d'un manuscrit ont le droit d'être traités de façon respectueuse et courtoise. Toujours. »

Heureusement, on peut prendre des mesures afin de limiter les écarts de conduite de certains évaluateurs. Par exemple, Miner (2003) affirme qu'au moment où il était rédacteur en chef du *Academy of Management Journal*, il lui arrivait de retirer les commentaires particulièrement désobligeants (*derogatory*) du rapport préparé par un évaluateur avant de le faire parvenir à l'auteur. Rousseau (1995) recommande également au rédacteur en chef de rayer les commentaires des évaluateurs qui sont rédigés sur un ton moqueur ou satirique (*caustic terms*). Encore aujourd'hui, on trouve de tels commentaires dans des rapports d'évaluation, mais ils semblent beaucoup plus rares. Peut-être l'évaluateur devrait-il s'imaginer qu'il s'adresse à un très bon ami à lui lorsqu'il formule ses commentaires, comme le suggèrent Graham et Stablein (1995), ou encore adopter l'attitude d'un coauteur, ce que propose Pavlou dans ses propos rapportés par Saunders (2005). De façon plus générale, Starbuck (2003) déplore que le rédacteur en chef et les évaluateurs aient souvent tendance à se considérer comme « supérieurs » à l'auteur, ce qui contredirait l'idée même d'évaluation par les pairs. Notons finalement que dans l'enquête de Bedeian (2003), 34,1 % des 173 auteurs d'articles parus dans l'*Academy of Management Journal* et l'*Academy of Management Review* entre 1999 et 2001 considéraient avoir été traités comme des «inférieurs» par le rédacteur en chef ou un des évaluateurs. Tout en demeurant très ouvert à la critique, le chercheur doit apprendre rapidement à se blinder contre l'attitude condescendante ou le ton blessant de certains évaluateurs à l'intelligence émotionnelle peu développée.

Par ailleurs, un simple coup d'œil sur certaines statistiques peut contribuer à décourager les chercheurs moins déterminés. Ainsi, les excellentes revues savantes, en gestion du moins, ont un taux d'acceptation qui oscille entre 5 % et 15 %. Faire de la recherche peut être une entreprise exaltante, certes, mais également très frustrante. De toute évidence, plusieurs n'arriveront pas à participer à la conversation savante dans leur domaine d'intérêt, surtout à celle prenant place dans des revues haut de gamme.

Par exemple, selon Rynes *et al.* (2005), la revue *Academy of Management Journal* recevrait couramment entre 800 et 900 nouveaux manuscrits par année – moins de 500 en 1999, selon Rynes (2005) –, en plus des 200 à 300 nouvelles versions de textes en processus de révision. Approximativement 30 % des manuscrits soumis sont rejetés immédiatement (dans un délai avoisinant les cinq jours), parce qu'aux yeux du rédacteur en chef, ces textes n'ont aucune chance de recevoir une évaluation positive ; pourquoi alors surexploiter des évaluateurs déjà surchargés de travail ?

Selon les mêmes auteurs, entre juillet 2004 et juin 2005, l'invitation à réviser et à soumettre une nouvelle version du manuscrit fut faite dans 16 % des cas et, en se basant sur les statistiques des années précédentes, ils anticipaient un taux d'acceptation final de seulement 8 % ; en d'autres termes, 50 % des textes pour lesquels une invitation de révision avait été lancée seraient rejetés au bout du compte. Sur ce nombre, on ne donne cependant pas la proportion de chercheurs refusant tout simplement de préparer une version révisée de leur manuscrit. Pourtant, ce pourcentage est important parce que, s'il était élevé, il signifierait que les efforts de la plupart de ceux qui *acceptent* de relever le défi et de travailler à améliorer leur manuscrit seraient couronnés de succès. Pour bien illustrer ce point, supposons que sur 100 auteurs à qui l'on a demandé de réviser leur manuscrit, 25 déclinent l'invitation. En présumant que 50 % des 100 manuscrits seront finalement acceptés, on conclut que sur les 75 auteurs qui fourniront une version révisée, 50 verront leur manuscrit accepté, soit les deux tiers… Pensons également à Starbuck (2003) qui, du temps où il était rédacteur en chef du *Administrative Science Quarterly*, estimait qu'environ la moitié des chercheurs qu'il invitait à apporter des modifications à leur manuscrit refusaient de le faire, préférant sans doute l'acheminer ailleurs, ou ne leur apportaient que des modifications très superficielles. On peut donc raisonnablement présumer qu'une très forte proportion des autres ont eu le bonheur de voir leur texte accepté pour publication dans cette revue.

Selon Rynes *et al.* (2005), les textes finalement acceptés après le processus complet de révision (durée moyenne de 72 jours durant l'année mentionnée plus haut) allaient paraître dans l'*Academy of Management Journal* environ 12 mois plus tard. On comprendra facilement que le chercheur doive faire preuve d'acharnement, presque d'entêtement, s'il veut réussir à faire publier ses travaux de recherche.

Comme je l'évoquais dans l'avant-propos du livre, tout ce processus peut être d'autant plus frustrant qu'il n'y aurait qu'une faible corrélation entre la qualité attribuée à un texte par les évaluateurs et la quantité de citations dont il fera l'objet lorsqu'il sera publié (Gottfredson, 1978), donc entre les recommandations des évaluateurs pour la publication de ce texte et l'appréciation de sa contribution à la connaissance par les chercheurs (Starbuck, 2003). En fait, de façon encore plus générale, l'estimation de la valeur d'un article paru dans une revue savante varie fréquemment de manière considérable d'un lecteur à un autre. Participer à une conversation savante n'est vraiment pas chose facile...

Les questions à se poser ici portent essentiellement sur l'appréciation que fait le chercheur de son propre niveau de persévérance, un trait de personnalité vraisemblablement très difficile à développer à l'âge adulte.

- Comment le chercheur réagit-il face à l'ampleur d'un travail de recherche visant à apporter une contribution d'ordre théorique? Le défi lui apparaît-il trop grand? La gratification finale – la publication – est-elle à ses yeux insuffisante, trop incertaine ou trop éloignée?

- Comment le chercheur compose-t-il avec la critique, en particulier avec les commentaires soulignant les carences, limites, erreurs, imperfections et autres présumées faiblesses de son texte? Après la tristesse ou la colère, est-il encore capable d'examiner soigneusement ces commentaires?

- Comment le chercheur se comporte-t-il devant les demandes de révision majeure? En baissant les bras ou en retroussant ses manches?

- Comment le chercheur vit-il les refus qu'il est à peu près certain d'essuyer dans ses tentatives de faire publier ses travaux, particulièrement s'il vise haut? Est-il capable de passer à travers ces situations d'échec et d'en tirer des leçons ou apprentissages, un peu comme le vendeur qui ne s'effondre pas à chaque fois qu'il se fait dire *non*?

Conclusion

Si, face aux difficultés, la première solution que considère le chercheur est de tout abandonner, il est peut-être effectivement préférable pour lui d'envisager de changer de métier. Il devrait faire de même s'il songe à emprunter la voie de la tricherie, par exemple en plagiant (ou en s'auto-plagiant) ou encore en s'efforçant d'avoir son nom comme coauteur d'un texte auquel il n'a pas apporté une contribution significative.

Cela dit, le chercheur ne doit surtout pas oublier de savourer ses succès. Surtout s'il a connu de nombreux échecs, comme c'est habituellement le cas chez les chercheurs actifs et ambitieux. Les mots attribués à Malcolm Forbes valent la peine d'être rappelés ici: «La victoire a bien meilleur goût lorsqu'on a connu la défaite.» Pour Huff (1999), même le moment de la soumission d'un texte mérite d'être fêté. Le chercheur n'a certainement pas à se sentir coupable de célébrer ses réussites avec enthousiasme.

CONCLUSION
Formation des chercheurs et des évaluateurs

Au début de cet ouvrage, je déplorais le peu d'intérêt des programmes d'études doctorales pour la manière d'élaborer un projet de recherche et, surtout, de rédiger un texte destiné à une revue savante. En proposant un ensemble de 10 règles à suivre pour être un chercheur convaincant, mon objectif fondamental était d'aider les chercheurs, en formation ou non, à participer à une conversation savante. J'espérais également que les règles proposées puissent servir à ceux qui sont mandatés pour évaluer ces textes produits par d'autres chercheurs.

Je souhaite évidemment que ces objectifs aient été atteints. Et je serais heureux que d'autres livres ou articles soient publiés sur le sujet. Mais j'aimerais surtout voir se multiplier les activités de formation visant à mieux préparer les chercheurs et les évaluateurs au travail qui les attend.

Bien sûr, les cours de méthodologie offerts dans différents programmes d'études ont leur utilité, en particulier pour tout ce qui concerne les aspects techniques d'une recherche, comme on l'a vu principalement dans la présentation des règles nos 3 et 4. Il en est de même des cours visant à faire connaître et critiquer la littérature dans un domaine déterminé. Mais ces activités pédagogiques traditionnelles sont nettement insuffisantes pour former un chercheur convaincant. Il faut se centrer beaucoup plus directement sur les règles précises à suivre pour y arriver.

Au départ, il doit certainement y avoir un travail de sensibilisation à l'importance de ces quelques règles, qu'il s'agisse ou non des 10 règles proposées ici. Mais il faut aller plus loin. Par exemple, les exercices contenus dans le livre de Huff (1999) sont susceptibles d'aider énormément le chercheur dans la préparation d'un projet de recherche et dans l'écriture rendant compte de sa réalisation. Ils couvrent ou recoupent de nombreuses règles décrites dans le présent ouvrage, mais certains portent sur des aspects que j'ai ignorés ou sur lesquels j'ai peu insisté. Très brièvement, en voici deux.

D'abord, Huff invite le chercheur à bien «identifier les moments, les endroits et les conditions qui facilitent le travail d'écriture» (p. 23). Ce questionnement n'est pas anodin et y répondre demande de bien se connaître comme chercheur, ce qui est loin d'être évident, spécialement pour un étudiant de doctorat. Tous les chercheurs ne fonctionnent pas de la même manière et il n'est pas rare que certains découvrent avec l'expérience des moments, des endroits ou des conditions qui leur conviennent particulièrement bien, ou encore que ceux-ci changent au cours des années.

Ensuite, Huff aborde longuement (p. 55-63) l'utilisation de textes modèles (*exemplars*), c'est-à-dire de textes représentant aux yeux du chercheur des exemples à imiter ou, du moins, dont il aurait avantage à s'inspirer fortement. Elle suggère de repérer dans la littérature quelques-uns de ces textes modèles et d'examiner attentivement comment leur auteur procède, notamment comment il structure la présentation de son travail et la longueur de chacune de ses sections. Pour Huff, il n'est absolument pas important que ces textes portent sur le même objet de recherche que celui du chercheur. Ce dernier les utilise comme des points de départ qui le guident, mais dont il ne doit pas hésiter à s'éloigner pour les besoins de sa propre recherche.

Ces deux exercices, de même que tous les autres proposés par Huff (1999), montrent bien que le chercheur doit être aussi *actif* que possible dans ses apprentissages. Faire de tels exercices ou encore participer à des ateliers d'écriture ou à des séminaires doctoraux comme il en existe dans de nombreux congrès de sociétés savantes sont assurément d'excellentes façons d'améliorer sa formation de chercheur. Ces activités peuvent également prendre place à l'intérieur d'un programme de doctorat, peut-être même faire l'objet de tout un cours, mais de nature très pratique, cela va de soi.

Par ailleurs, la qualité du travail de l'évaluateur n'est pas étrangère à la formation qu'il a eue comme chercheur, même si l'adéquation entre les deux est loin d'être parfaite ; en clair, il arrive que certains chercheurs de premier ordre soient des évaluateurs de deuxième ordre, et vice-versa. Cela dit, les deux accomplissent leur travail dans le respect des mêmes critères. En ce sens, les évaluateurs ne peuvent pas ignorer ni faire abstraction des règles de publication comme celles dont il a été question ici. Conséquemment, elles devraient faire partie de tout programme de formation ou de perfectionnement destiné à des évaluateurs actuels ou potentiels.

Présentement, tout chercheur peut devenir évaluateur sans passer d'examen particulier (Schminke, 2002). Mais, étant donné que le travail d'évaluation représente une activité cruciale dans le processus de constitution des connaissances, certains croient que les évaluateurs ne devraient pas apprendre « sur le tas » (à ce sujet, voir en particulier Bedeian, 2004), c'est-à-dire uniquement en faisant l'évaluation de manuscrits que des rédacteurs en chef leur auraient fait parvenir. Miner (2003) va même jusqu'à réclamer qu'on exige de l'évaluateur une formation spécifique *avant* de lui confier un manuscrit à évaluer. Très concrètement, il suggère de tenir à l'occasion des conférences auxquelles les chercheurs participent, des sessions de formation pour évaluateurs, avec lectures préalables, exercices d'évaluation sur des manuscrits présélectionnés et comparaison avec le même travail effectué par des évaluateurs chevronnés, etc. Selon lui, la participation à un atelier de travail de ce type serait obligatoire pour tout chercheur souhaitant agir comme évaluateur pour une revue importante. Mais est-ce que beaucoup de chercheurs seraient disposés à y participer ?

Bien entendu, de telles activités de formation n'empêcheraient pas l'évaluateur de s'améliorer au fil de ses expériences. Ainsi, comme la plupart des rédacteurs en chef acheminent aujourd'hui à tous les évaluateurs les commentaires des autres sur un manuscrit soumis, de même que leurs propres commentaires accompagnant la décision finale, les évaluateurs peuvent comparer leur travail à celui des autres, ce qui s'avère parfois très enrichissant. Schminke (2002, p. 489) mentionne que, selon ce qu'en diraient les évaluateurs n'ayant pas encore beaucoup d'expérience, il y aurait vraiment là un « moment d'apprentissage » (*learning moment*). De plus, il est fort possible que toutes ces expériences contribuent à faire de l'évaluateur un meilleur chercheur, un bénéfice qu'on passe trop souvent sous silence. De façon générale, tout indique que, malgré quelques exceptions, le travail du chercheur et celui de l'évaluateur s'influencent mutuellement et positivement chez une même personne.

L'idée de proposer un ensemble de 10 règles pour être un chercheur convaincant reposait sur la conviction que la publication de ses travaux dans une revue savante devait constituer pour lui un but à ne jamais perdre de vue. Mais la publication ne doit pas être une fin en soi. C'est la préoccupation d'apporter une contribution jugée significative et de participer ainsi à une conversation savante qui devrait être à l'avant-plan. D'une certaine façon, comme je l'écrivais ailleurs, « [...] publier aurait avantage à devenir plus une conséquence qu'un objectif » (Cossette, 2004, p. 182), cette attitude pouvant même augmenter la probabilité que les travaux du chercheur soient effectivement publiés ou qu'ils le soient dans de meilleures revues.

Dans la même veine, l'obsession de la publication peut entraîner des comportements déplorables. Ainsi, comme le notait Meyer (1995), certains chercheurs semblent plus intéressés par le simple fait de publier que par le contenu même de ce qui sera publié, ce qui les rend très rébarbatifs à toute demande de révision. Pire encore, il y a des chercheurs pour qui le nombre de publications devient tellement important qu'ils sont prêts à adopter des pratiques douteuses ou clairement répréhensibles sur le plan éthique, comme le plagiat, l'autoplagiat, la fragmentation des résultats et la multisignature abusive.

À la suite d'une recherche fascinante menée il y a plus de vingt-cinq ans auprès de 29 chercheurs ayant eu à la fois des projets de recherche qu'ils considéraient comme « intéressants » et d'autres comme « moins intéressants » (*significant and not-so-significant*), une des conclusions de Campbell *et al.* (1982) était qu'une contribution significative s'accompagnait généralement d'un sentiment d'excitation ou d'engagement chez le chercheur, ainsi que d'un « intérêt intrinsèque » (p. 100) dans le projet. Ce plaisir à faire de la recherche est peut-être le signe qu'une contribution significative est en voie d'être apportée, comme le soutenait également Rynes (2002). Le chercheur enthousiaste est certainement très conscient qu'il n'est pas facile de se joindre à une conversation savante, mais il ne craint pas de se lancer dans cette aventure qu'il considère comme extrêmement valorisante. Et, au fond, sans fin.

BIBLIOGRAPHIE

Agarwal, R., R. Echambadi, A.M. Franco et MB. Sarkar, 2006. «Reap rewards: Maximizing benefits from reviewer comments». *Academy of Management Journal*, 49 (2): 191-196.

Argyris, C. et D.A. Schön, 1974. *Theory in Practice: Increasing Professional Effectiveness.* San Francisco: Jossey-Bass.

Armstrong, J.S., 1980. «Unintelligible management research and academic prestige». *Interfaces*, 10 (2): 80-86.

Astley, W.G., 1985. «Administrative science as socially constructed truth». *Administrative Science Quarterly*, 30 (4): 497-513.

Astley, W.G. et R.F. Zammuto, 1992. «Organization science, managers, and language». *Organization Science*, 3 (4): 443-460.

Barley, S.R., 2006. «When I write my masterpiece: Thoughts on what makes a paper interesting». *Academy of Management Journal*, 49 (1): 16-20.

Bartunek, J.M., S.L. Rynes et R.D. Ireland, 2006. «What makes management research interesting, and why does it matter?». *Academy of Management Journal*, 49 (1): 9-15.

Bedeian, A.G., 2003. «The manuscript review process: The proper roles of authors, referees, and editors». *Journal of Management Inquiry*, 12 (4): 331-338.

Bedeian, A.G., 2004. «Peer review and the social construction of knowledge in the management discipline». *Academy of Management Learning & Education*, 3 (2): 198-216.

Bem, D.J., 1995. «Writing a review for *Psychological Bulletin*». *Psychological Bulletin*, 118 (2): 172-177.

Bem, D.J., 2003. « Writing the empirical journal article ». <dbem.ws/Writing Article.2.pdf>.

Bergh, D., 2002. « From the editors. Deriving greater benefit from the reviewing process ». *Academy of Management Journal*, 45 (4): 633-636.

Bernard, C., 1966[1865]. *Introduction à l'étude de la médecine expérimentale*. Paris: Bordas.

Burrell, G. et G. Morgan, 1979. *Sociological Paradigms and Organisational Analysis*. Londres: Heinemann Educational Books.

Campbell, J.P., 1995. « Editorial: Some remarks from the outgoing editor », dans L.L. Cummings et P.J. Frost (dir.). *Publishing in the Organizational Sciences*, 2ᵉ éd. Thousand Oaks: Sage, p. 269-283.

Campbell, J.P., R.L. Daft et C.L. Hulin, 1982. *What to Study: Generating and Developing Research Questions*. Beverly Hills: Sage.

Campion, M.A., 1993. « Editorial. Article review checklist: A criterion for reviewing research articles in applied psychology ». *Personnel Psychology*, 46 (3): 705-718.

Campion, M.A., 1997. « Editorial. Rules for references: Suggested guidelines for choosing literary citations for research articles in applied psychology ». *Personnel Psychology*, 50 (1): 165-167.

Chalmers, A.F., 1976. *What is this thing called science?* St. Lucia: University of Queensland Press. Publié en français en 1987 sous le titre *Qu'est-ce que la science?* Paris: Éditions La Découverte.

Christensen-Szalanski, J.J.J. et L.R. Beach, 1984. « The citation bias: Fad and fashion in the judgment and decision literature ». *American Psychologist*, 39: 75-78.

Colquitt, J.A. et R.D. Ireland, 2009. « From the editors: Taking the mystery out of *AMJ*'s reviewer evaluation form ». *Academy of Management Journal*, 52 (2): 224-228.

Colquitt, J.A. et C.P. Zapata-Phelan, 2007. « Trends in theory building and theory testing: A five decade study of the *Academy of Management Journal* ». *Academy of Management Journal*, 50 (6): 1281-1303.

Comte, A., 1923 [1831]. *Discours sur l'esprit positif. Ordre et progrès*. Paris: Société positiviste internationale.

Corley, K.G. et D.A. Gioia, 2004. « Identity ambiguity and change in the wake of a corporate spin-off ». *Administrative Science Quarterly*, 49 (2): 173-208.

Cossette, P., 2002. « Analysing the thinking of F.W. Taylor using cognitive mapping ». *Management Decision*, 40 (2): 168-182.

Cossette, P., 2004. *L'organisation. Une perspective cognitiviste*. Québec: Les Presses de l'Université Laval, coll. « Sciences de l'administration ».

Cossette, P., 2007. *L'inconduite en recherche. Enquête en sciences de l'administration*. Québec: Presses de l'Université du Québec.

Cossette, P., 2008. « La cartographie cognitive vue d'une perspective subjectiviste: mise à l'épreuve d'une nouvelle approche ». *M@n@gement*, 11 (3): 259-281.

Daft, R.L., 1995. « Why I recommend that your manuscript be rejected and what you can do about it », dans L.L Cummings et P.J. Frost (dir.), 1995. *Publishing in the Organizational Sciences*, 2ᵉ éd.Thousand Oaks: Sage, p. 164-182.

Daft, R.L. et A.Y. Lewin, 1990. « Can organization studies begin to break out the normal science straitjacket? An editorial essay ». *Organization Science*, 1 (1): 1-9.

Davis, M.S., 1971. « That's interesting! Towards a phenomenology of sociology and a sociology of phenomenology ». *Philosophy of the Social Sciences*, 1: 309-344.

Drucker-Godard, C., S. Ehlinger et C. Grenier, 2003. « Validité et fiabilité de la recherche », dans R.-A. Thiétart (dir.). *Méthodes de recherche en management*, 2e éd. Paris: Dunod, p. 257-287.

Edmondson, A.C. et S.E. McManus, 2007. « Methodological fit in management field research ». *Academy of Management Review*, 32 (4): 1155-1179.

Eisenhardt, K.M., 1989. « Building theories from case study research ». *Academy of Management Review*, 14 (4): 532-550.

Eisenhardt, K.M. et L.J. Bourgeois, 1988. « Politics of strategic decision making: Toward a midrange theory ». *Academy of Management Journal*, 31 (4): 737-770.

Forgues, B., 2003. « La rédaction du travail de recherche », dans R.-A. Thiétart (dir.). *Méthodes de recherche en management*, 2e éd. Paris: Dunod, p. 479-510.

Gephart, R.P., 2004. « Qualitative research and the *Academy of Management Journal* ». *Academy of Management Journal*, 47 (4): 454-462.

Giddens, A., 1984. *The Constitution of Society*. Cambridge: Polity Press. Publié en français en 1987 sous le titre *La constitution de la société. Éléments de la théorie de la structuration*. Paris: Presses universitaires de France.

Gioia, D.A. et K. Chittipeddi, 1991. « Sensemaking and sensegiving in strategic change initiation ». *Strategic Management Journal*, 12 (6): 433-448.

Giordano, Y. (dir.), 2003. *Conduire un projet de recherche. Une perspective qualitative*. Paris: Éditions EMS, coll. « Les essentiels de la gestion ».

Gottfredson, S.D., 1978. « Evaluating psychological research report: Dimensions, reliability, and correlates of quality judgments ». *American Psychologist*, 33 (10): 920-934.

Graham, J.W. et R.E. Stablein, 1995. « A funny thing happened on the way to publication: Newcomers'perspectives on publishing in the organizational sciences », dans L.L. Cummings et P.J. Frost (dir.). *Publishing in the Organizational Sciences*, 2e éd. Thousand Oaks: Sage, p. 113-131.

Hambrick, D.C., 2007. « The field of management devotion to theory: Too much of a good thing ». *Academy of Management Journal*, 50 (6): 1346-1352.

Harrison, D., 2002. « From the editors. Obligations and offuscations in the review process ». *Academy of Management Journal*, 45 (6): 1079-1084.

Huff, A.S., 1999. *Writing for Scholarly Publication*. Thousand Oaks: Sage.

Ireland, R.D., 2008. « From the editors. Your manuscript's journey through the *AMJ* review process ». *Academy of Management Journal*, 51 (3): 409-412.

Judge, T.A., D.M. Cable, A.E. Colbert et S.L. Rynes, 2007. « What causes a management article to be cited – article, author, or journal? ». *Academy of Management Journal*, 50 (3): 491-506.

Kalnins, A., 2007. « Sample selection and theory development: Implications of firms'varying abilities to appropriately select new ventures ». *Academy of Management Review*, 32 (4): 1246-1254.

Kaplan, A., 1964. *The Conduct of Inquiry*. Scranton: Chandler.

Kilduff, M., 2006. « Editor's comments: Publishing theory ». *Academy of Management Review*, 31 (2): 252-255.

Kilduff, M., 2007. « Editor's comments: The top ten reasons why your paper might not be sent out for review ». *Academy of Management Review*, 32 (3): 700-702.

Langley, A., 1999. « Strategies for theorizing from process data ». *Academy of Management Review*, 24 (4): 691-710.

Latour, B., 1987. *Science in Action*. Cambridge: Harvard University Press. Publié en français en 1989 sous le titre *La science en action*. Paris: Éditions la Découverte.

Lee, T., 2001. «From the editors. On qualitative research in *AMJ*». *Academy of Management Journal*, 44 (2): 215-216.

Lincoln, Y.S. et E.G. Guba, 1985. *Naturalistic inquiry*. Beverly Hills: Sage

Locke, K. et K. Golden-Biddle, 1997. «Constructing opportunities for contribution: Structuring intertextual coherence and "problematizing" in organizational studies». *Academy of Management Journal*, 40 (5): 425-431.

Mbengue, A., 2003. «Tests de comparaison», dans R.-A. Thiétart (dir.). *Méthodes de recherche en management*, 2ᵉ éd. Paris: Dunod, p. 291-334.

Merton, R.K., 1957. «Priorities in scientific discovery: A chapter in the sociology of science». *American Sociological Review*, 22 (6): 635-659.

Meyer, A.D., 1995. «Balls, strikes, and collisions on the base path: Ruminations of a veteran reviewer», dans L.L. Cummings et P.J. Frost (dir.). *Publishing in the Organizational Sciences*, 2ᵉ éd. Thousand Oaks: Sage, p. 257-268.

Miller, C.C., 2006. «From the editors. Peer review in the organizational and management sciences: Prevalence and effects of reviewer hostility, bias, and dissensus». *Academy of Management Journal*, 49 (3): 1023-1062.

Miner, J.B., 2003. «Commentary on Arthur Bedeian's "The manuscript review process: The proper roles of authors, referees, and editors"». *Journal of Management Inquiry*, 12 (4): 339-343.

Mintzberg, H., 1971. «Managerial work: Analysis from observation». *Management Science*, 18 (2): B97-B110.

Monastersky, R., 2005. «The number that's devouring science». *The Chronicle of Higher Education*, 52 (8): A12-A17.

Morgan, G., 1985. «Qualitative and action based research», dans Actes du colloque *Perspective de recherche pour le praticien*. Rouyn: Université du Québec en Abitibi-Témiscamingue, p. 81-109.

Northcraft, G., 2001. «From the editors». *Academy of Management Journal*, 44 (6): 1079-1080.

Partington, D. et M. Jenkins, 2007. «Deconstructing scholarship: An analysis of research methods citations in the organizational sciences». *Organizational Research Methods*, 10 (3): 399-416.

Peters, D.G. et S.J. Ceci, 1982. «Peer-reviewed practices of psychological journals: The fate of published articles submitted again». *The Behavioral and Brain Sciences*, 5 (2): 187-195.

Pfeffer, J., 2007. «A modest proposal: How we might change the process and product of managerial research». *Academy of Management Journal*, 50 (6): 1334-1345.

Popper, K.R., 1959 [1935]. *The Logic of Scientific Discovery.* New York: Basic Books. Publié en français en 1973 sous le titre *La logique de la découverte scientifique.* Paris: Payot.

Pratt, M.G., 2008. «Fitting oval pegs into round holes. Tensions in evaluating and publishing qualitative research in top-tier North American Journals». *Organizational Research Methods*, 11 (3): 481-509.

Rindova, V., 2008. «Editor's comments: Publishing theory when you are new to the game». *Academy of Management Review*, 33 (2): 300-303.

Rousseau, D. M., 1995. «Publishing from a reviewer's perspective», dans L.L. Cummings et P.J. Frost (dir.). *Publishing in the Organizational Sciences*, 2ᵉ éd. Thousand Oaks: Sage, p. 151-163.

Rynes, S.L., 2002. «From the editors. Some reflections on contribution». *Academy of Management Journal*, 45 (2): 311-313.

Rynes, S.L., 2005. «From the editors. Taking stock and looking ahead». *Academy of Management Journal*, 48 (1): 9-15.

Rynes, S.L., 2006. «Observation on "anatomy of an R&R" and other reflections». *Academy of Management Journal*, 49 (2): 208-214.

Rynes, S.L., A. Hillman, R.D. Ireland, B. Kirkman, K. Law, C.C. Miller, N. Rajagopalan et D. Shapiro, 2005. «From the editors: Everything you've always wanted to know about *AMJ* (but may have been afraid to ask)». *Academy of Management Journal*, 48 (5): 732-737.

Saunders, C., 2005. «Editor's comments. From the trenches: Thoughts on developmental reviewing». *MIS Quarterly*, 29 (2): iii-xii.

Schminke, M., 2002. «From the editors. Tensions». *Academy of Management Journal*, 45 (3): 487-490.

Schminke, M., 2004. «From the editors. Raising the bamboo curtain». *Academy of Management Journal*, 47 (3): 310-314.

Schneider, B., 1995. «Some propositions about getting research published», dans L.L. Cummings et P.J. Frost (dir.). *Publishing in the Organizational Sciences*, 2ᵉ éd. Thousand Oaks: Sage, p. 216-226.

Schneider, S.C. et R. Angelmar, 1993. «Cognition in organizational analysis: Who's minding the store?». *Organization Studies*, 14 (3): 347-374.

Schütz, A., 1953. «Common-sense and scientific interpretation of human action». *Philosophy and Phenomenological Research*, 14 (1): 1-37. Publié en français en 1987 dans *Le chercheur et le quotidien. Phénoménologie des sciences sociales*, 1ᵉʳ chapitre. Paris: Méridiens Klincksieck, coll. «Sociétés».

Seibert, S.E., 2006. «Anatomy of an R&R (or, reviewers are an author's best friends...)». *Academy of Management Journal*, 49 (2): 203-207.

Smith, K.G., 2008. «2007 Presidential address. Fighting the orthodoxy: Learning to be pragmatic». *Academy of Management Review*, 33 (2): 304-308.

Starbuck, W.H., 1999. «Fussy Professor Starbuck's cookbook of handy-dandy prescriptions for ambitious academic authors or why I hate passive verbs and love my word processor». <pages.stern.nyu.edu/~wstarbuc/Writing/Fussy.htm>.

Starbuck, W.H., 2003. «Turning lemons into lemonade: Where is the value in peer reviews?» *Journal of Management Inquiry*, 12 (4): 344-351.

Starbuck, W.H., 2005. «How much better are the most-prestigious journals? The statistics of academic publication». *Organization Science*, 16 (2): 180-202.

Stewart, D.W., 2002. «Getting published: Reflexions of an old editor». *Journal of Marketing*, 66 (4): 1-6.

Sutton, R.I. et B.M. Staw, 1995. «What theory is not». *Administrative Science Quarterly*, 40 (3): 371-384.

Tsang, E.W.K. et B.S. Frey, 2007. «The as-is journal review process: Let authors own their ideas». *Academy of Management Learning and Education*, 6 (1): 128-136.

Webb, C., 2003. «Editor's note: Introduction to guidelines on reporting qualitative research». *Journal of Advanced Nursing*, 42 (6): 544-545.

Weick, K.E., 1995a. «What theory is *not*, theorizing *is*». *Administrative Science Quarterly*, 40 (3): 385-390.

Weick, K.E., 1995b. «Editing innovation into *Administrative Science Quarterly*», dans L.L. Cummings et P.J. Frost (dir.). *Publishing in the Organizational Sciences*, 2ᵉ éd. Thousand Oaks: Sage, p. 284-296.

Whetten, D.A., 1989. «What constitutes a theoretical contribution?». *Academy of Management Review*, 14 (4): 490-495.

INDEX
DES AUTEURS